Nu of nooit

Roos Verlinden

Nu of nooit

Gottmer · Haarlem

ISBN 978 90 257 4668 1 / NUR 343

Uitgeverij J.H. Gottmer / H.J.W. Becht BV maakt deel uit van de
Gottmer Uitgevers Groep BV
Omslagontwerp: Marius Brouwer, Haarlem
Zetwerk: Peter Verwey Grafische Produkties bv, Heemstede
Druk en afwerking: Bariet, Ruinen

1

Pas toen Babs op het smalle fietspad opeens een tegenligger moest ontwijken, merkte ze hoe diep ze in gedachten was. Hoe heerlijk was het ook om zo te dromen... Haar vriendin Joke, die kalmpjes een eindje voor haar uit peddelde, had haar er alle gelegenheid voor gegeven.

Babs glimlachte om Joke. Om haar vertrouwenwekkende brede rug en achterwerk. Om haar rustig bewegende majestueuze benen, en om het vredige gevoel van dit vriendinnendagje samen. En dan waren ze nog maar net op weg!

Toch wist ze op hetzelfde moment dat het beter was om niet aan Joke te vertellen waarover ze daarnet zo heerlijk mijmerde. Natuurlijk kon ze wel praten over haar plannen voor deze vrije maanden. Over de cursus, hoe lastig die toch eigenlijk was, en dat ze besefte dat ze hem was gaan doen onder invloed van haar werk; nou ja, voorbije werk. Over de ontwikkelingen bij de groep pas gestarte zelfstandige ondernemers in het nieuwe bedrijvenverzamelgebouw, voor wie ze in het nieuwe jaar receptioniste werd. En weer verder over Ted, omdat ze de mening van Joke over de hele kwestie belangrijk vond.

Maar niet over Stan, geen woord, hoe verleidelijk ook. Als ze over hem praatte, zou zijn beeld er alleen maar levendiger op worden. En dat was toch al gebeurd door het dromen van daarnet, toen ze weer bijna letterlijk als toen voelde dat het onontkoombaar was dat ze haar hoofd tegen zijn schouder zou gaan leggen, dat ze zouden gaan kussen en dat ze echt geen bezwaar zou hebben tegen meer en meer en meer. Dat daar geen aanloopperiode met lunchen, dinertjes en dagjes samen op stap voor nodig was. Dat het voor haar in één klap duidelijk was: ze hoorden bij elkaar.

Nu ophouden, zei ze in gedachten tegen zichzelf. Waarom ben je er weer zo mee bezig?

Omdat ze tegen Joke aan het vertellen was geweest over Ted,

voor het fietspad zo smal werd dat ze achter elkaar moesten rijden, en ook vertelde over het ophalen van haar spulletjes uit de receptie van de krant, waar ze nog wat had geordend en die paar artikelen van Stan had zitten herlezen.

Door zijn toon van schrijven was het alsof hij weer in levenden lijve voor haar stond. Zoals toen, bij de nieuwjaarsreceptie. Of later, toen ze hem bij een lunch in de straat om de hoek het een en ander vertelde over de gang van zaken bij de krant – en nog geen idee kon hebben dat zij er nu, door de bezuinigingen, met een half jaar salaris op haar bankrekening weg zou zijn…

Die vrolijke, uitnodigende blik van hem. Dat donkere wat krullerige haar, waarvan hij zelf zei dat het bovenop bepaald spaarzaam aan het raken was, wat zij hem nou juist zo leuk vond staan. De energie die uit zijn houding en bewegingen sprak, alsof hij al in de startblokken stond om… Zijn basstem die met humor…

Nu begin je alweer! Ophouden, zei ze streng tegen zichzelf. Je bent weg bij de krant. Je vernietigde zijn gegevens. Je hebt je verlost van die verliefdheid. Je wilt zoiets nooit meer. Intussen is het drie jaar geleden, hij heeft zonder twijfel een nieuwe liefde, een goudhaantje is hij immers als gescheiden, aantrekkelijke man?

Denk aan het nieuwe dat komen gaat. Aan dit heerlijke halfjaar zonder werk. Met alleen maar de cursusopdrachten en het contact met de jonge mannen en vrouwen met wie je straks gaat werken.

Wat dacht je er trouwens van om van het moment, van het nú te genieten? Van deze zonovergoten dag en het stromen van de rivier, de schepen, de koeien. Kijk die Joke eens. Alles in haar zegt dat ze geniet. Zo kalmpjes als ze naar links en rechts kijkt. Is het fietspad hier trouwens niet breed genoeg voor ons tweeën?

Ze trapte wat harder en rinkelde met haar fietsbel. 'Ik kom weer naast je, hoor!' riep ze. 'Het kan hier best.'

Maar ze zetten al gauw hun fietsen tegen een hek en gingen in de luwe dijkhelling zitten. Om de sfeer te proeven en om eens echt goed in het rond te kijken, naar de binnenvaartschepen met hun witte watersnorren, naar de roodbonte koeien, en naar het pontje dat van de overkant naderde.

'Dat het er nu eindelijk eens van gekomen is. Wat een heerlijke, rustige en natuurlijke omgeving. Het lijkt heel lang geleden dat ik in de stad fietste, in het stinkende en levensgevaarlijke verkeer, op weg naar het station,' zei Joke met een groots armgebaar naar al dat moois, 'en dat was nota bene vanmórgen!'

Ook Babs was 's morgens al vroeg met fiets en al op de trein gestapt om naar het stadje te reizen waar Joke en zij een paar keer per jaar in een brasserie afspraken, halverwege Amsterdam en de woonplaats van Joke. Dit keer niet om daar aan hun favoriete tafel in de serre op hun gemak bij te praten, maar om eindelijk, eindelijk eens de route te fietsen van de wegwijzer die daar pal in hun uitzicht stond, en waar ze menige fietser, hele groepen zelfs, hadden zien vertrekken.

Ooit waren Babs en Joke klasgenoten. Maar hun vriendschap was van later datum, toen ze allebei in Amsterdam woonden. Babs op kamers, voor de receptionistenopleiding, en Joke in het zusterhuis van het ziekenhuis waar ze leerling-verpleegster was.

Maar via verliefd, verloofd en getrouwd werden ze huismoeders en verloren ze elkaar uit het oog. Tot Babs bij de krant als assistente op de receptie aan de slag kon. Voorwaarde was dat ze leerde omgaan met de computer. Ze kocht een tweedehandsje en deed er cursussen op van een cd. Daardoor belandde ze op een avond via de les over zoekmachines op internet. Ze tikte voor de grap de naam en woonplaats van Joke in. Binnen een paar tellen stond er een vermelding. Na nog een muisklik keek Joke haar aan. Ouder, dikker, met donker geverfd, opgestoken haar en... als beeldend kunstenares met een professionele eigen website.

Ze stuurde een mailtje en een paar dagen later al spraken ze elkaar telefonisch. Het was als vanouds. Voortaan mailden ze vaak en belden ze regelmatig. Maar van een afspraak kwam het niet vaker dan een keer of vijf per jaar. Te druk, te bezig, te veel kennissen, vrienden, familie. Teveel op de hals gehaald aan werk, leuke dingen en verplichtingen. Want intussen hadden ze het drukker dan toen ze jonge vrouwen met een gezin waren...

Het gras van de dijkhelling was gemaaid, het geurde al naar hooi maar was nog niet tot balen geperst. Babs sloot eventjes haar ogen om het nog beter te ruiken. Ze probeerde woorden te vinden voor die heerlijke zomerse geur. Dat kwam door de cursus die ze deed, het schrijven van korte verhalen. En ook omdat de geur van hooi past bij eindeloze schoolvakanties, en zo'n schoolvakantie beleefde het jongetje uit het kinderverhaal dat ze als huiswerkopdracht schreef. Hoe kon dat stadskind de lezers duidelijk maken dat het een boerde-rijgeur is, een geur van bloemen en zomer, van niezen en kriebelen en de slappe lach krijgen als je erin rolt?

'Hoe zou jij de geur van hooi beschrijven, Joke?'

Er klonk een lachje. 'Jij bent met je schrijfcursus bezig! Tja, hoe beschrijf je een geur.. Daar moet ik over nadenken. Ik heb intussen een vraag voor jou. Luister. Als je goed kijkt naar wat er aan de overkant van de rivier is, dan zie je dat de verschillende vormen er in elkaar overvloeien en dat de kleuren vervagen naar grijsachtig. Maar aan welk element ervan zou je toch een extra accentje geven in een schilderij?'

Babs keek. Een kerktorentje. Bosschages. Een of andere zend-mast. Een reeks silhouetten van gebouwen die met elkaar een in-dustrieterrein leken te vormen. Weer een kerktorentje, maar klei-ner en met daarnaast een bomenrij. Of was het een jachthaven, met scheepsmasten?

'Ach, de geur van hooi is gewoon heerlijk,' zei Joke. 'Dat weet iedereen. Dat hoef je niet uit te leggen. Of moet je van je docent met je woordkeuze een hooikoortspatiënt aan het niezen krijgen?'

'Waarmee je me uitstekend op weg helpt, maar niet heus.'

'Eerlijk gezegd verwacht ik ook niet veel met jouw antwoord op mijn vraag te zullen opschieten...'

Babs keek met toegeknepen ogen naar de overkant. 'Toch ga ik een poging wagen. In een naturalistisch schilderij zouden de silhou-etten van bedrijfsgebouwen en die zendmast moeten blijven staan. En in een romantisch de kerktorentjes en bomen. Nou?'

'Grandioos!'

'Niet dus?'

'Laat maar.'

Ze lachten.

'We gaan.' Kreunend stond Joke op.

'Heb je weer last van je rug door het fietsen?'

'Welnee. Ik ben gewoon te dik. Mijn rug gaat gelukkig tegenwoordig erg goed. Ik mag echt niet mopperen. Misschien ben ik er wel overheen gegroeid. Maar ik zou meer moeten bewegen, ik ben in feite ongetraind, hoewel ik zo'n tochtje als dit best aankan, vast ook doordat er weinig wind staat. Mijn conditie… ach, laat maar… Als we dáárover beginnen, zijn we voorlopig nog niet klaar. Terwijl we het over Ted hadden vóór dat fietspad zo smal werd. Dat lijkt me een tikje belangrijker. Wil je nu scheiden of niet?'

2

Wil je nu scheiden?

Een logische vraag, dacht Babs. Nu fietste zij voorop, want al na amper een kilometer was het asfaltweggetje weer gekrompen tot een smal schelpenpad. 'Gezellig,' had Joke een beetje gemopperd. '"Alleen voor nurkse stellen" hadden ze wel op dat bordje mogen zetten. "Verboden voor vriendinnen en andere gezelligheidsdieren."'

Maar Babs kwam het niet slecht uit. Joke zette daarnet nogal zwaar aan dat Babs voor zichzelf en haar belangen moest opkomen. Zou ze het als onzekerheid interpreteren dat ze haar woorden zo zorgvuldig koos? Maar onzekerheid was het niet. Ze wilde genuanceerd over hun relatie praten, niet in zwart en wit.

'Ted is nu eenmaal zoals hij is…', ze hoorde het Joke weer zeggen…, 'maar je moet hem nú laten zien dat je het meent, dat je de kar niet blíjft trekken, dat je het niet langer pikt!'

Ze zuchtte. Het was waar, Ted was bepaald geen daadkrachtige man. Thuis niet en op zijn werk niet. Initiatief nemen, verantwoordelijkheid dragen, de schouders ergens onder zetten – dat alles was hem vreemd. Dat was eigenlijk altijd zo geweest, ook al vond zij die eigenschappen van hem in hun beginjaren juist heerlijk. Kalm, rustig, relaxt en afwachtend noemde ze hem. Ze waardeerde toen zijn nadenkende afstandelijkheid, zij die zichzelf altijd lekker spontaan vond, zij die zomaar in een opwelling met hun kleine mannetjes iets leuks ging ondernemen en makkelijk in de omgang was. Wat Ted toen overigens erg aantrekkelijk in haar vond, maar nu als ongeduldig en impulsief betitelde.

Een haaibaai vond hij haar zelfs. Dat woord ontschoot hem toen ze weer eens een nogal geïrriteerd gesprek voerden. Een haaibaai omdat zij probeerde iets leuks van het leven te maken terwijl hij maar bleef rondhangen in huis. 'Laten we een filmpje pakken.' 'Zullen we op dansles gaan?' 'Als we nu eens samen die cursus digitale fotografie gaan doen?' 'Kom op, we lopen nog een rondje om en drinken een wijntje in die nieuwe trendy zaak die in het oude café is gekomen.'

Een haaibaai! Zij die zich juist zo prettig had gevoeld in haar rol van initiatiefrijke en energieke partner en moeder. Die erin kon berusten dat hij liever thuis bleef, en dan op zo'n avond van een rok die ze toch nooit meer droeg zomaar voor de grap een bloes of een giletje naaide, wat weer erg gezellig was.

Naar mijn gevoel hadden we het al die jaren niet slecht, dacht ze. We hadden óók plezier met elkaar. Maar het moet gaandeweg erger met hem zijn geworden, zich tot een beklemmende negatieve eigenschap hebben ontwikkeld. Nu vinden ook de jongens hem slap. Hij irriteert ze, maar haten doen ze hem niet. Over film en muziek praten ze, en over auto's natuurlijk. Diepgang is er niet bij, zeggen ze. Dat lijkt hij vermoeiend te vinden.

Als hij groot en zwaar gebouwd was geweest, was hij misschien het type van de slaperige beer. Dan had het kunnen lijken of zijn logge lichaam er de oorzaak van was dat hij zo moeilijk op gang kwam. Maar hij is juist slank. Van de aantrekkelijke lange slungel die hij was, is hij langzaam maar zeker een indolente, saaie man geworden, die het liefst een beetje op de bank hangt met een krant of de afstandsbediening van de tv in zijn hand. Zo kan ik hem uittekenen, terwijl hij volhoudt dat hij het zo wel best vindt.

Maar waarom dan dat zogenaamde slippertje?

Joke vond dat ze het niet moest pikken.

En als hij er nou eens niets over had gezegd in plaats van het opeens heel initiatiefvol tot een bespreekpunt te verheffen? Stel dat ze er niets van had geweten? Of dat ze niet beter wist dan dat het iets eenmaligs was geweest in plaats van iets dat toch zeker een halfjaar geduurd had... dat hij zich niet had klem gepraat...?

Dan hadden we in elk geval niet die vernietigende ruzie gekregen, antwoordde ze zichzelf. Dan was er niets geweest dat van kwaad tot erger groeide. Dat zich opblies tot een orkaan die niet meer te mannen viel. Want Ted had overspel gepleegd, terwijl ík me juist van die heerlijke, verlokkende verliefdheid had losgescheurd. Omdat het niet kon, omdat het niet mocht, omdat ik ons leven niet overhoop wilde halen. Wat kostte me het me niet om de warmte en de aantrekkingskracht van Stan te weerstaan, terwijl Ted avond aan avond meer aandacht aan stomme tv-programma's besteedde dan aan mij.

Ze voelde haar woede groeien en haalde diep adem om zich ervan los te maken.

Kom terug naar deze mooie zomerdag met Joke, dacht ze. Maar waarom komt alles ook tegelijk? Net nu ik zomaar een halfjaar vrij ben en tijd genoeg heb om te piekeren. Net nu ik ervan zou kunnen genieten dat ik een leuke, zelfstandige baan krijg, die eigenlijk de bekroning is van al die stomme cursussen en trainingen die de krant verplicht stelde wilde ik mijn baan kunnen houden. Net ook nu de jongens echt helemaal op eigen benen staan en ze me niet meer om de haverklap mailen, sms'en en bellen. En net nu ik die idiote notitie van mijn moeder in haar laatst gebruikte agenda vond.

Opeens dook Joke naast haar op. Babs zag nu pas dat zich bij hun schelpenpad een asfaltweggetje vanuit de onderdijk had gevoegd. Er konden hier auto's komen, maar gelukkig waren die er niet op het stille uur van deze doordeweekse ochtend.

'Wat je ook nog niet weet...' zei Babs. 'Het is een gek verhaal, en het kan niet waar zijn, maar mijn moeder...'

'O ja, het overlijden van je moeder!' riep Joke uit. 'Sorry. Sorry. Ik denk daar nu pas aan. Wat stom van me. Heb je alles kunnen afhandelen? Kreeg je het inderdaad op die korte termijn voor elkaar om haar kamer leeg te ruimen? Als enigst kind heb je dat allemaal maar op je schouders liggen. En heb je nog mensen blij kunnen maken met haar spulletjes of moest je veel wegdoen?'

Babs schoot door de verontschuldigende woordenstroom van Joke in de lach. 'Poeh, dat zijn veel vragen ineens! Maar kort gezegd is het allemaal wel opgeruimd en afgehandeld. Met het ene hebben Arthur en Casper geholpen. Bastiaan zat in het buitenland. En wat het andere betreft, ik was al bewindvoerder voor mijn moeder, dus wist ik precies wat er liep en, niet onbelangrijk, wat ik van de hele papierwinkel in haar secretaire kon weggooien. Er is nog één doos van over, met oude agenda's bijvoorbeeld...'

Ze wierp een blik opzij, naar Joke.

'Alleen de laatste die ze echt gebruikt had, bladerde ik een beetje door.' Ze schraapte haar keel. 'Wat was het akelig om in haar beverige handschrift herhaaldelijk het aftelsommetje te zien van het agendajaar en haar geboortejaar, met als uitkomst haar leeftijd. Toen al kon ze dus haar eigen leeftijd niet meer onthouden... Ze noteerde wat ze gedaan en gegeten had, wie er opbelden en wat ze zeiden, hoe het weer was en welke kleren ze droeg, al die kleine dingen die aan haar geheugen ontsnapten.'

Babs zweeg even, ook al voelde ze de onderzoekende blik van Joke op zich gericht.

'Het moet vreselijk zijn om te merken dat je geheugen het laat afweten. Door die agenda besefte ik dat des te meer. Als ik eraan terugdenk, krijg ik het koud... Je snapt dat ik al die emoties nu niet... Goed, wat ik je wilde vertellen is, wat ze een aantal keren noteerde. "Het Babs zeggen."'

'Het Babs zeggen?' herhaalde Joke.

'Wilde mijn moeder met me praten over haar afnemende geheugen?' ging Babs verder. 'Dacht ze dan dat ze het verborgen had kunnen houden? Dat ik het nog niet in de gaten had?'

'Dat was het vast niet,' zei Joke.

'Inderdaad. Want helemaal achter in de agenda, op de eerste week van het nieuwe jaar... Weet je wat daar stond na datzelfde zinnetje? Er stond heel duidelijk... ik kon mijn ogen niet geloven en geloof het ook nu absoluut niet... er stond: "Of zei ik het Babs al dat ze mijn kind niet is?"'

13

3

Ze hadden een rustpauze gehouden en fietsen nu weer door. Dat mocht qua tijd ook wel wilden ze de route helemaal kunnen uit rijden, vond Babs. Het fietste trouwens veel lekkerder en lichter door het praten daarnet. Het was alsof ze de wind in de rug had, terwijl er zelfs geen zuchtje stond.

'Wát zeg je? Je moeder zou ze je echte moeder niet zijn?' had Joke op Babs' mededeling geschrokken uitgeroepen.

'Ik geloof dat absoluut niet,' had die geantwoord. 'Het is echt volslagen onmogelijk. Weet je, ze was toen al vaak in de war. Veel herinneringen liepen door elkaar, ze maakte regelmatig één verhaal van een paar gebeurtenissen uit verschillende jaren. Of ze mixte iets van de tv met haar eigen belevenissen. Daar heb ik talloze voorbeelden van, die ik je zal besparen.

Het is natuurlijk wel een raar idee dat mijn moeder het in haar hoofd haalde dat ik niet haar dochter ben... Maar mijn gevoel is heel duidelijk. Het zegt onverstoorbaar dat het niet waar is. Wel ga ik het onderzoeken, alleen voorlopig nog niet, hoewel ik dat natuurlijk eerst meteen wél wilde. Maar het is teveel tegelijk. Ontslag. Nieuwe baan. Ted. Mijn moeder. Ik heb tenslotte alle tijd met dat vrije halfjaar voor de boeg.'

'Wat een toestanden…' Joke schudde haar hoofd. 'En dat op de fiets…!'

Wat waren ze in de lach geschoten!

'Kom op, we gaan pauzeren,' stelde Joke daarop voor. 'Kijk, op de kribben staan mensen te vissen. Laten wij op die daar verderop gaan zitten. Praten en breien gaan niet samen. En dit is te belangrijk.'

Het was inderdaad een goede plek gebleken. Door het water was het er wat frisser dan op de dijk en het rook er schoner. Vriendelijke klotsende geluidjes kwamen hen tegemoet vanaf de rivier, van boven klonk nu en dan het knarsen van banden op het schelpenpad. Op de stroom was een boomtak met bladeren komen aandrijven die tussen de keien voor hun neus vastliep.

'Kijk, die tak is een metafoor voor hoe ik erover denk,' zei Babs. 'Ik moet me niet laten meeslepen door de gebeurtenissen. Want dan kom ik vast niet terecht waar ik wil.'

'Want je weet waar je heen wilt?'

'Niet precies natuurlijk. Maar ik wil er wel stuur over hebben. En dat heb ik door een paar besluiten die ik gaandeweg nam. Dat met Ted laat ik nog even voor wat het is. Dat is één. Nummer twee is dat ik plezier wil hebben van dit vrije halfjaar.' Ze keek glimlachend opzij. 'Ik ga lekker die schrijfcursus afronden. Voor sommige opdrachten wil ik echt op pad gaan. Voor informatie, couleur locale, sfeer opsnuiven, dat soort dingen. Dat kan allemaal nu de jongens me écht niet meer nodig hebben. En ik wil weer eens wat leuke kleding voor mezelf naaien.'

Ze zuchtte tevreden. 'Weet je, voor ons gesprek van daarnet was ik al die goede dingen een beetje vergeten, leek het wel. Ze lagen als het ware verborgen achter de grotere en kleinere zorgen over de toekomst. Stom hè? Want wat is het een luxe om de tijd aan mezelf te hebben. Om financieel niet afhankelijk te zijn van Ted door, wat ik maar noem, mijn ontslagpremie en door mijn spaarpotje. En als we gaan scheiden, moet het huis worden verkocht en bezit ik daar de helft van...'

Ze was opeens gaan staan. 'Joke, meid, bedankt. Moet je zien hoe heerlijk de zon schijnt! We boffen, het had ook kunnen waaien en regenen. Je weet het in Nederland nooit... Kom, dan trek ik je overeind, want we moeten verder. Ach, weet je, misschien ga ik tóch in die oude agenda's van mijn moeder zoeken naar aanwijzingen. Eén, twee... húp!'

Wonderlijk, dacht Babs nu, lekker voortpeddelend, dat je door je hart te luchten weer zuurstof in je longen en kracht in je benen krijgt. Dat je weer oog voor de omgeving hebt.

Ze keek naar de boerderijen en boomgaarden aan de andere kant van de dijk. 'Daar verkopen ze boter en kaas,' wees ze. 'En daarnet stond er een bord dat je zelf fruit kunt komen plukken. Gelukkig vermeldde het ook wanneer het seizoen ervoor was, want ik denk dat veel stadsmensen... Hé, wat is er?'

Joke was kreunend aan het verzitten.

'Zadelpijn?'

'Nee hoor, dat niet. Maar heb je het aan Ted verteld?'

Het klonk nogal amechtig. Babs zei er niets van maar minderde vaart. Joke wilde eigenlijk niet weten dat haar conditie tekortschoot, want dan moest ze ook weer over vermageren beginnen, en ze was nu eenmaal een lekkerbek die wilde genieten van het goede van het leven.

'Of ik Ted vertelde wat mijn moeder zei, bedoel je?'

'Ja. Weet hij het?'

'Nee.'

'Nee?'

'Nee.'

'Omdat je nog niet weet of je bij hem blijft?'

Babs knikte. Er naderde een groep fietsers. Ze ging voor Joke rijden.

Nee... het is niet omdat ik niet weet of ik wil scheiden, dacht ze, en daarom vind dat hij er niets mee te maken heeft. Het is gek genoeg omdat ik het zielig vind voor mijn moeder. Ook al leeft ze niet meer, je vertelt zoiets niet aan iemand die er smalend op zal reageren. Dat onteert haar. Zo voel ik het.

Ze hield in om weer bij Joke langszij te komen.

'Praten jullie nog wel?' vroeg Joke.

'Nou, praten...'

'Ruziën?'

Nee, dat niet.'

'Gewapende vrede?'

'Nee, ook niet.'

'Niets dus eigenlijk?'

'Hoe zeg ik dat... Het heeft geen diepgang. We wisselen wel mededelingen uit, best vriendelijk, hoor, maar niet met...' Ze zocht het juiste woord.

'Met gevoel?' suggereerde Joke.

'Ja, zoiets. Er zit geen fut in. Geen spirit.' Ze aarzelde even. 'In onze manier van omgang is er niets dat raakt. Of schuurt. Of botst. Onze situatie is niet meer dan een gegeven. Een neutrale uitvalsbasis naar de buitenwereld. Ted zorgt voor zus, en ik voor zo; dat is het. En voorlopig moet het nog maar even zo blijven. Vanwege die neutrale uitvalsbasis, hè. Die heb je nodig om te weten waar je heen wilt.'

'Dat is waar.'

Babs vond het zo wel genoeg. Het loste zich toch niet op in de duur van een fietstochtje. Morgen was er weer een dag, met hopelijk nog vele erna – die misschien wel totaal nieuwe gezichtspunten opleverden.

'Weet je dat we nog helemaal niet over jouw werk hebben gepraat?' zei ze. 'Terwijl je nog wel druk bent met de voorbereidingen voor die tentoonstelling in september.'

Ze legde even haar hand op die van Joke op het stuur. 'Heerlijk dat mijn hoofd weer vrij is voor jouw belevenissen. Dank je wel, en vertel op!'

Ze kenden elkaar goed genoeg om te weten hoe gemeend het was. Bovendien vertelde Joke maar wat graag over de tentoonstelling, die bij uitstek een gelegenheid was om haar werk nu eens niet lokaal of regionaal, maar landelijk te presenteren.

De uitnodiging was een grote eer, niet de minsten deden mee, en dat zíj gevraagd was kwam door haar leraar aan de avondacademie die haar niet alleen de publieksbelangstelling maar ook een goede verkoop gunde.

Al luisterend viel het Babs op hoe opgewekt Joke er nu meteen uitzag. Haar gezicht bloosde in het warme zonlicht. Haar rommelig opgestoken haren glansden. Juist door haar overgewicht had ze een prachtig vrouwelijk lichaam. Het maakte haar lief en sterk tegelijk, en heel aantrekkelijk. Wat jammer toch dat er nog steeds geen aardige vent voor haar was.

Intussen hoorde Babs best waarover Joke praatte.

'Het lijkt me nou juist helemaal niet nodig dat je nieuwe kleren koopt voor de opening van de tentoonstelling,' zei ze dan ook.

'En hou toch op over rokken en colbertjes, je martelt je daarmee. Je vergeet voor de zoveelste keer dat je er prachtig uitziet als je ontspannen bent en geniet. Zoals nu. Je zou jezelf eens moeten zien. Je bent een prachtmens. Maar ook bij de opening zul je gewoon vanuit jezelf al stralen. Vertrouw daar maar op. Trek gewoon die mooie linnen jurk nog een keer aan. Wees jezelf. Doen, hoor!'

'Kon ik ook maar kleding naaien,' verzuchtte Joke. 'Verder dan een hobbezak ben ik nooit gekomen…'

Ze lachten.

'Nu zou ik kunnen aanbieden om iets voor je te naaien en…'

'Niet doen, niet doen,' riep Joke uit.

'Dan zou ik een nacht bij je moeten overblijven vanwege het doorpassen en…'

'Niet doen, niet doen,' herhaalde Joke weer.

'En kán ik het nog? Ik kijk amper meer naar stoffen. Het is eerlijk gezegd erg lang geleden dat ik iets voor mezelf maakte…' zei Babs.

'Niet doen dus,' zei Joke gedecideerd.

'Grappig, ik wilde zeggen dat ik er al die jaren niet zo'n zin meer in had,' zei Babs. 'Maar dat is het niet. Ik gunde mezelf er de vrijheid niet meer voor. Hoe leg ik dat uit? Kijk, als ik voor de cursus een verhaal moet schrijven, laad ik mezelf op door bijvoorbeeld allerlei informatie te verzamelen, door in de boekenkast en op internet te neuzen. Dat gun ik mezelf dan, en zoiets moet je eigenlijk ook doen bij het maken van kleren. Neuzen in modebladen, in winkels kijken hoe kleren in elkaar zijn gezet, trends oppikken en…'

'Precies,' zei Joke. 'Dat geldt voor mij ook. Want je maakt iets vanuit het niets. Maar door al die voorbereidingen staat het bij wijze van spreken in je hoofd en je gevoel al klaar. Je moet het alleen nog namaken.' Ze maakte een armgebaar naar de rivier. 'Zo wil ik dit alles gaan uitbeelden. Die heerlijke rust van die onverstoorbaar stromende rivier moet erin uitkomen. En waaruit spreekt die rust nu eigenlijk? Daarover wil ik nadenken.'

Ze keken. Een konvooi zich gestaag stroomopwaarts ploegende schepen passeerde. Koeien droomden in een groep. Wilgen stonden roerloos.

'Heerlijk. Een mens moest vaker zoiets als dit ondernemen,' mijmerde Babs. 'Ik vind mezelf steeds zo serieus.' Ze lachte. 'Zag je een stuk terug die schapen? Ook zo bloedserieus! Waar is de speelsheid gebleven van toen ze nog lammeren waren? En ook: waar is de onze?'

'Destijds in Amsterdam wisten we het wel,' zei Joke met een lach. 'Toen leefden we bij wijze van spreken van de ene opwelling naar de andere. Stonden we spontaan bij elkaar op de stoep. Niet thuis? Jammer dan. Wel thuis? Hé, eet mee. Zullen we daarna een filmpje pakken?'

'En nu spreken we maanden van tevoren af...'

'En let ik op de tijd omdat we door al dat praten vast niet de hele route kunnen fietsen willen we tenminste de geplande trein naar huis halen.'

'Jij ook al?'

Lachend maar met hun hoofden schuddend fietsten ze door. Opeens hoorde Babs zichzelf uitroepen dat ze toch niet die trein hóéfden te halen? 'Er gaat toch nog een volgende? Moet je nagaan, Ted komt niet eens thuis. Hij kon er dit keer niet onderuit, hij moest mee op een driedaagse teambuilding in de Ardennen... als het waar is. Daarom plande ik dit dagje uit met jou op vandaag... Bah, wat ouderwets. Man van huis, de kans om iets voor jezelf te doen. Wat is dát er ingesleten! En op jou wacht helaas ook niemand...'

'Alleen werk... Ik wilde nog een paar lijsten uitproberen om het effect van...'

Babs onderbrak haar. 'Wat veel beter gaat na een nacht lekker ontspannen slapen...'

Joke gaf haar meesmuilend gelijk.

Hier was op het smalle fietspad langs de dijkweg een nieuwe schelpenlaag aangebracht; het was er zwaar trappen, maar al gauw kwam er weer zo'n asfaltweggetje van beneden af de dijk op en reden er zowaar auto's. Er waren nu prachtig verbouwde boerderijen met boomgaarden. Ze zagen er meer als villa's uit, met aangeharkt grind, een dubbele garage en schitterend aangelegde en onderhouden tuinen.

19

Tot het weer uitsluitend fietspad was. Een kleine kilometer fietsten ze langs een camping in de uiterwaarden. Zo te zien eentje voor visliefhebbers. Op het terras van een uitspanning aten ze een verrassend lekker broodje tonijnsalade. Dat de witte wijn niet te drinken was, deed er niets aan af. De aangeprezen zelfgebakken appeltaart sloegen ze natuurlijk af... Ze peddelden relaxed verder. Die trein terug? Ach, ze reden om het half uur en tot na middernacht...

'Iets anders, Babs. Lijk je uiterlijk op je vader?'

'Sprekend, zei men. We hebben dezelfde ogen, gezichtsvorm en haarkleur. We waren beiden ook al vroeg grijs. Ik was een jongere uitgave van hem, in vrouwelijke vorm dan. Hij was tamelijk slank. Ik was trouwens een echt vaderskindje. Hij was gek op me en ik op hem.'

'Hij moet een knappe vent geweest zijn.'

Babs schoot in de lach. 'Dank je voor het compliment.'

'Hou oud was hij ook alweer toen hij overleed?'

'Pas zestig. Naar de huidige maatstaven jong. Hartstilstand.'

'Net als Jan.'

'Hoe lang is Jan nu ...'

'Acht jaar alweer. Ja, joh, ik ben alweer acht jaar weduwe.' Joke glimlachte weemoedig. 'Maar kom op, ik heb een geweldige nieuwe levensgezel gevonden in de kunst. Ook al worstel ik daarmee net zo als indertijd met Jan. Een schat was hij, als je tenminste zijn gebruiksaanwijzing kende. Daarom snap ik je aarzelingen wat Ted betreft heel goed.' Ze wees naar de rivier. 'Zie je trouwens hoe prachtig dat stadje aan de overzijde ligt! En wat varen die binnenvaartschepen diep in het water, hè? Het stroomt bij die twee achterste zelfs over het dek.'

De route voerde nu van de dijk af naar een stil dorp met een prachtig oud raadhuisje, en na een kilometer of wat weer terug naar de rivier. De dijk was hier flink bochtig. Het gras stond er kniehoog, met witte berenklauwen ertussen. De boerderijen waren kleiner dan voor het dorp, net als de boomgaarden. *Bed and breakfast* stond er op een bordje in de vorm van een uitgestoken hand, boven een houten bakje met brochures.

Ze stapten af en pakten er een uit.

'Schitterend, wat een leuke kamer,'constateerden ze bewonderend. 'Met een eigen badkamer.'

'Ontbijt met zelfgebakken broodjes,' las Joke verrukt voor, 'een vers eitje, vruchtensap en zelfgemaakte jam. "Yoghurt of kwark, of wat u maar lekker vindt." Jeetje. Super zeg.'

Babs zag hoe er vervolgens een frons op haar voorhoofd kwam. 'En nu onderdruk jij zeker de spontane opwelling om hier een nachtje te blijven?'

Joke keek op. 'Betrapt.' Ze pufte overdreven. 'Jij moet er zeker niet aan denken?'

Babs lachte. 'Natuurlijk! Maar omdat ik zo serieus ben geworden... En ik een retourtje heb...'

'Precies. We doen het een ander keer,' zei Joke ferm. 'Dan spreken we af dat...'

'Denk je dat het er dan nog van komt? Hoe vaak zeiden we niet dat we deze fietsroute eens moesten rijden?' plaagde Babs. 'Vergeet dat dus maar. We krijgen er natuurlijk voor eeuwig spijt van, maar we leggen ons daar bij voorbaat al bij neer. Zo gaat dat met ons. Terwijl we door wél gevolg te geven aan een spontane inval, misschien iets bijzonders op ons pad tegenkomen. Iets waarmee we een heel speciale draai aan ons leven geven.'

'Fantast!' riep Joke uit. Ze keek naar de boerderij. 'Hij is een stuk langer dan dat boerderijtje ernaast. En ook hoger. Er zit natuurlijk plenty ruimte in voor gastenkamers.'

Ze keken.

'In deze brochure is het allemaal even mooi,' verzuchtte Joke. 'Maar wie weet marcheren de muizen wel door het bed en doen kakkerlakken een wedstrijd wie het eerst van de glibberige badkamervloer via de verkalkte wandtegels op het schimmelige plafond is.'

'Over fantast gesproken!' Babs gierde van het lachen.

Joke wendde zich opnieuw naar de boerderij. Die zag er verzorgd en uitnodigend uit, met blauwe luiken tegen wit pleisterwerk.

'Wat een juweel,' stelde Babs vast. 'En we hóéven niet terug naar huis...'

'Maar we hebben niets bij ons.'

Babs wees naar haar rugzakje op de bagagedrager. 'Noem dat maar niets. Trui, jack, lippenstift, papieren zakdoeken, kauwgom, water... En mijn schoudertasje. Met geld, mobieltje, pinpassen, identiteitskaart, rijbewijs, agenda, huissleutels...'

'Daar poets je je tanden niet mee,' giechelde Joke.

Babs wees op de bagagedrager van Jokes fiets. 'Wat heb jij allemaal in je tas?'

'Net zoiets. Geen tandenborstel dus.'

Weer keken ze naar de boerderij. 'In elk normaal huishouden is toch wel een tandenborstel en tandpasta voorradig,' zei Babs peinzend. 'En als we vragen om waspoeder kunnen we in die mooie badkamer ons ondergoed even wassen. Geeft dat nou als het morgenochtend nog niet helemaal droog is. In mijn tijd als kamerbewoner...'

Ze rinkelde opeens grijnzend met haar fietsbel, stapte op en stuurde op de dijkafrit af. 'Joke, het is nu of nooit! Kom op, we doen het, we gaan iets bijzonders van ons leven maken!'

'We kunnen altijd nog terug,' riep Joke schaterlachend.

Dat deden ze niet. En, wat ze natuurlijk niet konden weten, was dat ze inderdaad een heel speciale draai aan hun leven gingen geven.

4

Van achter een haag van struikgewas stoof een groep witte ganzen blazend en gakkend op hen af. 'Een allerhartelijkste begroeting,' zei Joke benepen. 'Bijten ganzen?'

Ze bleven voor de zekerheid maar staan. Dat deden de ganzen ook.

'Ze doen niets, loop gerust door,' hoorden ze een mannenstem verder op het erf roepen. Rutger Hemelreijk was zijn naam, zei hij even later. Hij was heel bruin, had weinig haar en liep op rubberen tuinlaarzen. Hij was de eigenaar van de boerderij en ontving graag gasten.

Intussen ging hij hen voor naar de staart, zoals hij het achterdeel van de boerderij noemde. Daarin was het gastenverblijf.

'Voilà,' zei hij zwierig bij het openen van de deur. 'Kijk op je gemak rond. De bedden zijn opgemaakt, zie je wel, en in de badkamerkast liggen handdoeken. Als het jullie aanstaat, kom het dan even zeggen. Ik ben achter in de tuin, bij de aardbeien, je ziet het vanzelf.'

Hoewel ze geen milliseconde nodig hadden om te beslissen of het gastenverblijf hen aanstond, neusden de twee vrouwen eerst nieuwsgierig rond. Joke stelde meteen al vast dat hier iemand met een goede smaak aan de slag was geweest. Er hingen bepaald fraaie houtskooltekeningen aan de wanden, voornamelijk riviergezichten, maar ook een paar, waarschijnlijk Italiaanse, pleintjes. Ze bestudeerde ze. 'Ze zijn origineel! Zou die Rutger ze gemaakt hebben?'

Babs was overrompeld door de authentieke boerderijsfeer. Ze voelde aan de dikke bruine balken en keek uit het in zes vensterruitjes verdeelde raam. De badkamer was inderdaad even blinkend schoon en zonder kakkerlakken als op de foto in de brochure. Niks geen schimmel op het plafond. In tegendeel, de houten delen ervan stonden dik in de lak.

Natuurlijk bleven ze, zeiden ze bij het aardbeienbed in de moestuin tegen Rutger, die met een vriendelijke grijns op zijn gezicht de loftuitingen van Joke aanhoorde.

'Als je wilt schuif dan aan bij het avondeten. Ik serveer hier namelijk ook een *table d'hôte*. Onze gasten zitten mee aan tafel en eten wat de pot schaft.' Hij trok een grijns. 'Ik kook goed, al zeg ik het zelf. Stúkken beter dan wat de eethuizen in de omgeving bieden. Vanavond is er in elk geval kippensoep.' Hij maakte een beweging met zijn hoofd in de richting van een onzichtbaar buurhuis. 'De haan moest eraan geloven. De rest van het menu weet ik zelf ook nog niet.'

'We hebben nogal laat geluncht,' zei Joke.

'Maar desondanks...' voegde Babs eraan toe.

'Graag dus,' zeiden ze tegelijk.

Grijnzend keek het drietal elkaar aan.

'Ik geef wel een seintje als het zover is. Loop gerust rond. Alleen geen dingen jatten graag, zoals laatst een bekakte adellijke dame met tuinaspiraties deed. Ze had niet alleen drie varens uitgegraven, maar ook een handdoek, twee flesjes wijn en vier glazen uit het gastenverblijf in haar zijtassen gestopt.'

Intussen waren ze naar de achterkant van de boerderij gelopen. 'Hier is de bijkeuken met het magazijn. De deur is altijd los. Je kunt er pakken wat je nodig hebt, als je het maar invult op de lijst die dáár, aan die stelling, hangt en bij het uitchecken afrekent. Wijn, frisdrank, toiletbenodigdheden, zoutjes, nou ja, jullie zien het vanzelf. Je kunt van fietsers niet verwachten dat ze dat allemaal bij zich hebben. Hier komen nu eenmaal alleen maar fietsers langs; het weggetje onderlangs de dijk loopt dood en is uitsluitend voor de mensen die er aan wonen.'

Omdat Joke er, na haar eerste enthousiaste woorden, min of meer schaapachtig bij stond, vroeg Babs naar de praktische zaken als prijzen en de tijdstippen van ontbijt en vertrek. Vervolgens wilde ze van alles weten over de boerderij zelf. Of die door hemzelf verbouwd was en of er vaak gasten logeerden.

Toen de vrouwen terugliepen naar het gastenverblijf stamelde Joke dat het allemaal ongelooflijk was, maar daarna raakte ze op dreef. 'Wat een boerderij! Wat een schitterende tuin! Die moestuin, moet je meemaken: aardbeien! En verderop een boomgaard! Het lijkt wel of ik droom. Er is inderdaad iets ongelooflijks op ons pad gekomen. Wat ongelooflijk bijzonder is dit!'

Ze overdreef wel, vond Babs, want ze zei het niet minder dan drie keer achter elkaar, en onder de douche kletste ze er nog over door. Maar toen ze later over het erf slenterden was ze weer stilgevallen. 'Tja, wij als stadsmensen hebben geen weet van de lieflijkheid en sfeer van oude boerderijen en hoe inspirerend die…,' begon Babs.

Maar Rutger riep vanuit de open achterdeur dat ze aan de grote houten tuintafel verderop gingen eten. Ze liepen er alvast heen. De avondzon legde een warme gloed over het terras. De ganzen bij de oprit gakten, maar er kwam niemand het erf op.

Ouderwetse kippensoep was er. Moderne lasagne van groenten met noten en geitenkaas. Eigen aardbeien met room.

'Verrukkelijk,' zuchtte Joke. 'Verrukkelijk. Verrukkelijk.'

Veel meer voegde ze niet aan het gesprek toe. Maar het was wél helemaal waar.

5

Pas de volgende morgen kwam de tong van Joke weer los. Bijzonder bewonderenswaardig vond ze het dat Rutger na een loopbaan van verpleger via manager in de gezondheidszorg samen met zijn vrouw en een bevriend echtpaar een hotel was begonnen, daarmee weer had kunnen stoppen, deze boerderij had gekocht en na het overlijden van zijn vrouw met bed and breakfast was begonnen omdat hij er nu eenmaal van hield om mensen te verzorgen; dat zat in hem. Rijk werd hij er niet van, maar wel gelukkig, doordat hij tijd overhield om te tekenen en te schilderen en zijn werk nog verkopen kon ook.

Licht als een veertje voelde Joke zich. Of was het omdat het leven hier lichter, in de betekenis van zorgelozer, toescheen?

Babs luisterde met toenemende verbazing. Zo kende ze Joke niet. Pas toen die een tijdje haar mond hield en daarna droogjes opmerkte dat het een verademing was dat ze daarnet bij gebrek aan bagage niet had hoeven bedenken welke kleren ze aan moest, leek ze weer de oude.

'Want wat een gezanik vind ik het gedoe met kleren altijd. Wil ik eigenlijk gewoon mijn spijkerbroek met een trui aan, zeurt het binnenin dat het géén gezicht is met dat dikke lijf van me. Dat ik er als een volksvrouw bijloop, terwijl ik mezelf in de spiegel terug wil zien als de mens die ik bén.'

'En wie is dat dan?' vroeg Babs.

Joke schaterde. 'Tja…'

'Ik weet trouwens precies wat je bedoelt,' zei Babs.

'Terwijl jij er altijd hartstikke leuk uitziet,' riep Joke uit. 'Je hebt je eigen stijl en weet altijd flatterende kleuren te vinden.'

'Hm.' Babs bekeek zichzelf vanachter de tafel in de spiegel. 'Ik vind eigenlijk dat ik er van nature nogal saai uitzie. Ik móét gewoon oorbellen in hebben. En neem mijn haar…' Ze haalde haar vingers erdoorheen. 'Als het niet een beetje pittig geknipt is…'

'Maar dat is het wél!'

'En het is grijs…'

'Omdat geverfd haar je niet mooier maakte. Bovendien heb je een prachtig slank figuur, terwijl je eet als een tijger.'

Babs hief het ovenverse knapperige broodje in haar hand op, dat ze nogal dik besmeerd had met roomboter en bessengelei. 'Wat was dat sap trouwens verrukkelijk.' Ze wees met het broodje op haar lege glas.

'Sinaasappel met aardbeien,' zei Joke. 'Vers en net niet te zoet. En die thermoskan koffie lijkt onuitputtelijk. Wat een verwennerij. Maar waar we het net over hadden… Weet je waarvan ik droom?'

'Nou?'

'Dat maatje 42 me soepel past. Dat ik mijn slanke taille kan accentueren met een kleurige riem. En dat ik een winkeltje ken waar ik van mijn bepaald bescheiden kunstenaarsinkomen door hun bijzondere inkoopbeleid toch kleding van uitzonderlijk kwaliteit kan aanschaffen, waaraan zichtbaar is dat de productie ervan niet in een lagelonenland plaatsvindt.'

Ze lachten.

'En ook de kleuren staan me perfect. Ze verrijken me, maar zijn absoluut niet schreeuwerig, net als mijn schoenen of laarzen, en een opvallende en idioot royale schoudertas. Kijk, dat geeft me op een chique manier een artistieke uitstraling. Snap je?' Ze schaterde het uit.

Babs kreeg een idee. 'Als je dat beeld nu eens vasthoudt, net als gisteren het beeld van de rust die de rivier en de uiterwaarden uitstraalde… en je gaat het op de een of andere manier ten uitvoer brengen… dan word je vast wie je wilt zijn.'

Joke grijnsde vrolijk. 'Stel je toch eens voor, zeg. Maar iets anders. Wat een aardige man, hè, Rutger?'

'Nou!'

'Een leuk idee, hè, zo'n bed and breakfast?'

'Ja nou.'

'En een zalig ontbijt, vind je niet?'

'Verrukkelijk.'

'En sfeervol dat het hier is! Voor een man iets bijzonders, vind je niet?'

Die meid is verliefd, schoot het opeens door Babs heen. Daarom doet ze zo schaapachtig! Daarom is ze niet te stuiten in haar loftuitingen over Rutger. Daarom droomt ze van maatje 42.

'Nou en of,' zei ze zo neutraal mogelijk.

'Jammer dat we straks weg moeten.'

'Dat vind ik ook.'

'Maar ja. Niets aan te doen.'

'We kunnen hier nog eens gaan logeren…'

'Tja,' zei Joke lacherig.

'Tja,' herhaalde Babs, 'dat is aan ons…'

Omringd door de ganzen bij de oprit namen ze later hartelijk afscheid van die aardige en bijzondere Rutger. Hij overhandigde Joke nog iets. 'Je pinpas. Je liet hem liggen in mijn kantoortje.'

Joke bloosde. Babs onderdrukte een glimlach. Om Joke nog een momentje te gunnen, liep ze alvast met haar fiets aan de hand het erf af en de dijk op. Ze wachtte er met haar gezicht naar de rivier.

Het duurde wel… Werd er nu geroepen? Ze draaide zich om en zag Rutger naar haar gebaren dat ze terug moest komen. Ook zag ze Joke met een van pijn vertrokken gezicht stokstijf stil staan, haar fiets schuin hangend tussen haar benen. Ze ging snel terug.

'O nee, weer mijn rug, getverderrie,' kreunde Joke. 'Het schoot er weer in, toen ik daarnet mijn tas weer onder de snelbinders stopte. Het zit op diezelfde rotplek, vlak boven mijn bil. O nee, o nee, ik moet ook afvallen en meer bewegen, o, hoe kom ik in godsnaam thuis.'

Babs vermande zich om ernstig te blijven kijken. Spit is niet om te lachen!

'Je vertelde gisteren nog wel dat je de laatste tijd niet mag mopperen. Dat je er misschien wel overheen gegroeid bent,' zei ze vol medeleven.

Rutger keek het allemaal eens aan. 'Hoe lang duurt het meestal?' vroeg hij.

'Soms een dag, soms een week,' kreunde Joke. 'Kunnen jullie me van die fiets takelen?'

Nu schaterde Babs het uit, alsmaar sorry, sorry roepend.

'Ik kan geen poot verzetten,' kreunde Joke. 'Laat die takelwagen me meteen maar horizontaal door het open raam naar binnen schuiven.' Ze lachte met de anderen mee, maar dat verging haar al snel. Met een kreet van pijn greep ze naar haar rug.

Terwijl Babs haar ondersteunde, trok Rutger de fiets weg. Vervolgens hielpen ze haar voorzichtig stapje voor stapje terug te lopen naar het gastenverblijf. Daar besloten ze dat Joke onder de hoede van Rutger bleef, en dat Babs in weerwil van haar 'samen uit, samen thuis' alleen naar huis ging, maar eerst in het nabije dorp wat T-shirts en onderkleding voor die arme Joke zou kopen.

Toen ze met de spullen terugkwam, zat Joke in de luie stoel van het gastenverblijf want liggen gaf alleen maar meer ellende. Naast haar in de vensterbank waren pijnstillers en een glas water neergezet. Rutger bracht net tekenpapier, potloden en houtskool, want van nietsdoen werd Joke naar eigen zeggen stapelgek.

Babs fietste na nog een kop koffie met gemengde gevoelens weg. Dat Joke spit had was ontegenzeggelijk waar. Maar ook dat ze verliefd was... Hoe ging dit aflopen? Joke deelde immers haar leven met de kunst...

Ze volgde nu niet de route over de dijk naar het dorp van daarnet, maar de weg die Rutger gewezen had, en die rechtstreeks naar de plaats liep waar ze op de trein kon. Twaalf kilometer, het was niet niks. 'Maar windje mee,' had Rutger met een bemoedigende schouderklop gezegd. 'De schoolkinderen van hier fietsen het elke dag.'

Het was wel een saai fietspad langs een saaie rechte weg door eenzaam land met vooruit een groepje fietsers en bovenal enorme hoogspanningsmasten. Was dit nu de draai die zij tweeën aan het leven gaven? Joke was verliefd en had spit, en zijzelf zat met een klamme onderbroek op de fiets omdat ze zo stom was geweest hem te wassen. Daar reed ze nu in haar eentje, onder een grijze hemel zonder spoortje zon, op weg naar het dichtstbijzijnde station, alsof ze een afgebroken boomtak was die mee dreef met de stroom en...

Langzaam maar zeker haalde ze de groep voor haar in. Het waren kakelende schoolmeiden die zo te horen hun boeken gingen inleveren en rapporten ophalen. Vrolijk en vol verwachting over de grote schoolvakantie waren ze.

Die gaan hun leven nog tegemoet, dacht Babs met een blik op hun wapperende lange haren. En ik heb er al zo'n groot stuk op zitten… Zij hoeven niet zuinig met hun tijd van leven om te springen, maar ik mag geen tijd meer verdoen aan onnozelheden, aan spinsels, aan kitsch en onwaarachtigheden.

Opeens zag ze zichzelf weer staan met Joke, daar boven op de dijk. Ze hoorde zichzelf weer zeggen dat als ze het niet deden, die spontane opwelling niet volgden om in de boerderij te overnachten, dat ze daar dan voor eeuwig spijt van zouden hebben. Want dan misten ze vast iets bijzonders, iets dat zomaar op hun pad kwam, iets waarmee ze een draai aan hun leven konden geven.

'Hm,' mompelde ze, 'het is nu of nooit.'

Ze trapte wat harder om de groep te passeren.

6

Zo in het middaguur was het stil in de trein. De coupé van Babs was zelfs een tijdje leeg. Daarom belde ze Joke op om te vragen hoe het ermee ging. Die ratelde. Door de paracetamol was de ergste pijn over. Maar er zat een onwrikbaar blok beton met een priemende staaf roestig ijzer onder in haar rug.

De toon waarop ze het zei was nogal monter. Zelfs ook de vaststelling dat ze geen kant op kon, en de ermee samenhangende kwestie hoe ze straks naar de wc moest. Dat werd weer kruipend op handen en voeten.

'Je kent gelukkig het klappen van de zweep,' zei Babs zachtjes omdat er iemand door de coupé liep. 'Ondanks alles klink je opgewekt.'

'Dat is mijn aard,' klonk het gedecideerd. 'Bovendien had het me op een slechtere plek kunnen gebeuren. Er valt hier het mooiste daglicht van de wereld binnen om bij te tekenen.'

Babs dacht er het hare van. 'Je hebt aan Rutger gelukkig ook een deskundige en erg aardige verpleger,' zei ze losjes.

'Zeg dat!' klonk het met een uitroepteken erachter, en vervolgens fluisterend: 'Ik vind die man zó aardig. Stel je toch voor, Babs, dat we braaf onze route hadden vervolgd. Dan had ik hem nooit ontmoet en was ik nu thuis moederziel alleen aan het creperen.'

'Op voorwaarde dat je vanmorgen bijtijds uit de veren was gegaan om je voornemen van een gezonde fietstocht meteen al in praktijk te brengen. Want bij het opstappen gebeurde het,' stelde Babs nuchter vast. 'En anders had je nog steeds de illusie gekoesterd dat je over je rugkwaal heen was.'

'Als ik weer thuis ben ga ik inderdaad dagelijks fietsen, en in elk geval lijnen,' zei Joke weer even gedecideerd als net. 'En nu geen crashdieet, maar heel kalm aan, wel gezond eten, geen smerige tussendoortjes, dat soort dingen. Volgens Rutger kun je heus wel een broodje met roomboter en jam eten. Mits dat precies is wat je qua smaak aantrekt. En dan goed proeven en genieten! Dan stelt het je tevreden en een tevreden mens schrokt geen tien gevulde koeken achter elkaar op.'

'Tien!' Babs lachte.

'Nou ja, twee dan. En eigenlijk ben ik al begonnen. "Zeg me straks wat je zou willen lunchen," zei Rutger namelijk. "Geneer je niet. De vriezer is vol en het dorp is dichtbij." Wat een schat van een man, hè? Voor een mán helemaal!'

'Nou en of. Hadden wij er maar zo eentje.'

Ze lachten.

'Luisteren ze niet met je mee?' vroeg Joke opeens.

'Ik ben de enige in de hele coupé!'

'Had je meteen een trein? Of miste je er net eentje? En hoe laat denk je thuis te zijn?'

Toen er bij het volgende station medepassagiers in de coupé kwamen, beëindigden ze het gesprek. Babs keek naar buiten, naar het voorbij glijdende landschap, de huizen en wegen vol auto's en het toenemend aantal bedrijventerreinen, die verraadden dat ze Amsterdam naderden.

Bij het volgende station moest ze eruit. Ze keek naar haar fiets, die in de tussenruimte stond. Ik kan alvast mijn schoudertas terugdoen in de rugzak, dacht ze. Maar ze deed het niet.

Haar station werd afgeroepen door de intercom. Ik moet opstappen, dacht ze. Maar ik heb geen zin. Dan ben ik straks al thuis. Is alles weer gewoon.

En als een bliksemschicht flitste de gedachte door haar heen dat dit hét moment was om te beginnen met… ja, met de dingen anders dan anders te doen. Het was nu of nooit!

Die gedachte had zo'n overtuigingskracht dat hij een lach op haar gezicht toverde en ze zich prompt gewonnen gaf.

Zie zo. Nu of nooit, zo zat dat. Zíj, Babs Vierhoef, stapte lekker pas op het Centraal Station uit. Dat mocht niet, ze had een kaartje tot het Amstelstation, maar ze deed het toch. Laat het maar eens anders dan anders zijn.

Ze keek naar het vertrouwde stationsgebouw, naar de wachtende mensen op het perron, en wist hoe het daarbuiten was. Hoe de huizen waren, de winkels en de mensen. Hoe het met de drukte van het verkeer zou zijn en dat er op dit uur nog geen groepen scholieren door de straten slenterden.

Ja, ik stap lekker pas op het Centraal uit, dacht ze, en ze voelde opeens het geluk van de vrijheid. Ze realiseerde zich dat het onverwachte van de bed and breakfast meer bij haar had losgemaakt dan alleen het grappige en anekdotische. Het was een verlangen naar iets dat nog geen naam had, maar dat paste bij het haar zo vertrouwde woelige stadshart van Amsterdam.

Dat paste bij zigzaggend fietsen door het verkeer. Bij toeterende auto's en tingelende trams. Bij volgeparkeerde grachten met dolende toeristen, die zomaar domweg overstaken met hun camera's en rugzakken. En dat paste bij zomaar wat zitten uitkijken in een rondvaartboot.

Dus naar huis ga ik voorlopig nog niet, dacht ze.

Er wachtte toch niemand op haar? Wat moest ze op klaarlichte dag in een leeg huis. Ze hoefde niet eens te koken, kon voor haarzelf bij de buurtsuper een kant en klare hap kopen, want Ted kwam pas de volgende avond terug uit de Ardennen. Deed dat er trouwens iets toe? Ach ja, natuurlijk, maar nu moest ze toch echt haar schoudertas in de rugzak stoppen, want ze reden al de overkapping van het Centraal Station binnen.

Het was nog een heel gedoe om met de fiets in de lift naar de centrale hal en naar buiten te komen, maar daar zwenkte ze dan toch tussen hordes fietsers en voetgangers door het Damrak op. Het was inderdaad enorm druk. De lucht was grijs, er was een enorme rotzooi door opgebroken straten en het stonk.

Wat had ze nu liever, deze wanordelijke dynamiek of de serene rust van een voortglijdende rivier onder tijdloos mooie wolken? Hier was geen rustpunt, of het moest al een café of een winkel zijn. Daar aan de rivier was niets dan rust. Waar was de gulden middenweg? Op het water van de grachten, de Amstel en het IJ, als toeschouwer van het spektakel van het moderne leven?

De rondvaartboot aan het Rokin vertrok net. In de brasserie op de hoek dronk ze cappuccino. Ze bestelde er een broodje kroket bij. Lekker, dacht ze, terwijl ze keek naar de niet-aflatende stroom slenterende vakantiegangers waartussendoor zich haastige stadsbewoners met in zichzelf gekeerde gezichten een weg baanden.

Opeens zag ze weer voor zich hoe stil glimlachend Joke naar Rutger had zitten luisteren, en drong het tot haar door waar ze zelf nu eigenlijk naar verlangde. Naar liefde voelen. Naar zich geliefd weten. Naar zich mogen uiten als een vrouw met een warm hart.

Naar hoopvol zijn ook, zoals Joke. Hoopvol naar iets dat een warme glans aan het leven gaf. Naar zakelijke dingen als werk en toekomstmogelijkheden was ze al hoopvol, absoluut. Maar dát stroomde met dezelfde kalmte als de rivier. Die wist ook waarheen hij wilde en deed dat niet onstuimig bruisend door een verliefd hart.

'Joh, er zijn zoveel gelijkenissen tussen Rutger en mij!' hoorde ze Joke weer zeggen. 'Allebei werkten we in de verpleging, allebei verloren we onze partner, allebei worden we uitgedaagd door de beeldende kunst. Rutger tekent en schildert. Hij bewerkt ook hout. Super hè?'

We moeten inderdaad gaan scheiden, Ted en ik, dacht Babs. Als ik me daar nu niet op ga instellen, wanneer dan wel? Joke volgde haar behoefte om creatief bezig te zijn en ging naar de avondacademie voor teken- en schilderlessen. Goed dat ík met de schrijfcursus ben begonnen. Daarmee gaf ik mezelf al iets nieuws. Het daagt me uit, net als de nieuwe baan en het idee om weer zelf kleding te gaan naaien, zelfs ook om de kwestie van mijn moeder verder uit te pluizen. Waarom zou ik me niet wat vrijer opstellen? Als ik het nú niet doe, maar uitstel, wordt het dan afstel?

Ze bestelde nog een cappuccino.

Ik kan uitbuiten dat ik een halfjaar vrij ben, dacht ze. Desnoods huur ik een hutje op de hei, blijf ik niet thuis, waar Ted rondhangt. Wie weet ontmoet ik zomaar ergens een andere man en ben ik opeens verliefd, net als Joke…

Daar kwam de cappuccino al. Het lege bordje van het broodje verdween. Aan het tafeltje tegenover het hare kwam een stel van haar leeftijd zitten. Zwitsers, zo te horen. Ook al was de vrouw in vrijetijdskleding, ze zag er erg charmant uit. Sexy en toch beschaafd. Ze was vast van goeden huize, en had misschien wel op een kostschool een gedegen opleiding gehad. Ook hij mocht er wezen. Zou hij ingenieur zijn? Of directeur van een museum?

Ze voelde zich er nogal armetierig bij en keek maar niet verder.

Toch zag ze in een onbewaakt ogenblik hoe het stel lachend en grappend op de kaart iets lekkers uitzocht. En opeens voelde ze weer pijnlijk scherp hoe heerlijk haar gevoelens waren geweest voor Stan de Houtman.

Ze zag hem weer op die nieuwjaarsreceptie van de krant staan. Modern geklede vent. Energieke indruk. Een man die gezien zijn open blik zin had om contacten te leggen. Absoluut niet verlegen maar geen charmeur. Iemand van haar eigen leeftijd. Het tegendeel van uitgeblust, zoals Ted.

Hij stond alleen, dronk jus d'orange en keek haar aan. Als receptiemedewerkster had ze de rol van gastvrouw, anders had ze geen reden gehad om voor een praatje op hem af te stappen. Ze had zich voorgesteld.

'Ik ben Babs Vierhoef, van de receptie.'

Een stevige hand, een directe blik. Hij gaf haar een visitekaartje. 'Stan de Houtman. Gestart als freelancer op het gebied van biologie, natuur, wetenschap. Die sector.'

Ze bekeek het kaartje. 'De Houtman, was dat niet een ontdekkingsreiziger? Een figuur uit de maritieme geschiedenis?'

'Klopt. Maar dat is wel heel erg ver voor mijn tijd, hoor!' Een vrolijke lach bij onderzoekende ogen.

'Aan wie kan ik je voorstellen? Want ik neem aan dat je hier bent om contacten op te doen?'

'Tja... Kun je me eerst wijzer maken over de mensen die de *specials* schrijven? Ze zouden wat aan me kunnen hebben!' In zijn ogen las ze zelfverzekerdheid.

Dat ik dit allemaal nog zo haarscherp weet, schoot het opeens door haar heen. Het lijkt of die ontmoeting gisteren was. Die drie jaar hebben er niets aan afgedaan.

Ze schraapte met haar lepeltje de restjes schuim in de kop naar een kant toe, en proefde toen toch maar het chocolaatje dat ze eerst terzijde had gelegd. Het was mierzoet.

Hoe was het verder gegaan?

Een paar weken daarna hadden ze telefonisch contact. Hij had de opdracht binnengehaald om voor de kinderpagina een artikel van maximaal duizend woorden te schrijven over ecologie, en bedankte haar voor de tip.

Een vriendelijke basstem. Het werd zomaar een gesprekje.

'Als oud-leraar gaat me het wel makkelijk af om voor kinderen te schrijven.' Want hij was pas recent in de journalistiek gaan werken. Hij kwam uit het middelbaar onderwijs, gaf biologie. Hij had een flink aantal jaren voor de klas gestaan. Leuk, die kinderen, maar de regeltjes en voorschriften wekten zijn irritatie. Je moet je houden aan het systeem, hij was daar de man niet naar, managede wel graag, maar een beetje als een vrije vogel. Hij schreef graag over het vakgebied, zat al in een redactieraad van lesboeken, had een column in een vakblad en rolde daardoor een beetje de journalistiek in. Maar of het wat werd? Hij had intussen al het een en ander opgepikt over het ellebogenwerk, over de slangenkuil.

Een paar weken later belde hij weer. Hoe zat het eigenlijk met factureren? Daar had die redacteur niets over gezegd en hij was glad vergeten het te vragen.

Zomaar op een middag stond hij bij de receptie. Hij had een afspraak met een redacteur, zag haar zitten en kwam even gedag zeggen. Het had haar hart opeens sneller doen kloppen. Ze zat te blozen! En hij deed heel gewoon. Alsof het de normaalste zaak van de wereld was om een praatje te maken met de receptioniste, en te wachten tot ze een telefoontje had afgehandeld. Verdikkie, ze was bepaald de jongste niet, laat staan de mooiste!

Toen knorde ook nog opeens haar maag. Keihard. 'Lunchtijd,' had ze met een verontschuldigend gezicht en een blik op de klok gezegd.

'Laten we dan straks koffiedrinken om de hoek. Zo lang zal mijn bespreking niet duren. Redacteuren hebben altijd geweldige haast!'

Daarbij die lach. Dat leuke lichtje in die ogen. Dat krullerige donkere haar dat zo grappig het kalende plekje bovenop omlijste.

Een paar weken later hadden ze geluncht. Toen wist ze dat het zo niet door kon gaan. De behoefte om gewoon even weg te kruipen tegen zijn schouder was nauwelijks meer te weerstaan. Alles aan hem leek haar uit te nodigen dat te doen. Mooi makkelijk, hij was gescheiden, maar zij had een man!

Ze deed zakelijk. Hij mocht niet weten dat ze verliefd op hem was. Want het mocht niet. Het kon niet. Het zou haar hele leven omver gooien. De jongens… het huis… de spullen… Thuis had ze zijn visitekaartje uit haar agenda in stukken verscheurd.

Nog één keer hadden ze elkaar aan haar balie gesproken. Toen was al bekend dat er bezuinigd moest worden en er ontslagen zouden vallen. Er kwam een nieuwe directie, voor wat oudere personeelsleden was er een redelijk gunstige ontslagregeling en ook facilitaire diensten zoals waar zij onder viel moesten drastisch inkrimpen.

Hij was niet meer gekomen. Een van haar collega's had wel verteld dat er een meneer naar haar had gevraagd. Toen was het gevoel weer in alle hevigheid…

Maar waaruit leidde ik eigenlijk af dat hij iets voor me voelde, schoot het nu door haar heen. Vertaalde ik zijn lach, dat oogcontact, wel goed? Waarom zou hij meer van me hebben gewild dan informatie over wíe er van de redacteuren in wélke redacties en met wélke macht wát deden?

Het was dan wel allemaal met een sisser afgelopen – of eigenlijk als een nachtkaars uitgegaan – maar de herinnering eraan was op dit moment toch erg aangenaam. Ze voelde zich zomaar niet meer armetierig. Ze had tenslotte iets heel speciaals meegemaakt. Verliefd worden terwijl je getrouwd bent, het was niet niks. Een spontane overnachting in een bed and breakfast zonk daarbij in het niet.

'Bij Rutger voel ik me gek genoeg helemaal niet dik, maar juist zo licht als een veertje. Of komt dat omdat het leven hier lichter, in de betekenis van zorgelozer, lijkt?'

Was ik ook maar weduwe, dacht ze. Ze schudde die akelige gedachte meteen van zich af. Ze wenste Ted absoluut niet dood, maar zou willen dat ze vrij was. Dat ze zich gevaarloos kon overgeven aan een droom, dat was al voldoende. En heel misschien kreeg ze, als ze gescheiden waren, wel het lef om contact te zoeken met Stan.

Zo, zo, hoe denkt mevrouw dat te doen?

Via de krant natuurlijk. Ongetwijfeld zit hij in het adressenbestand.

Je moet dan wel een ijzersterke reden bedenken.

Er trok een glimlach om haar mond. Wat denk je van internet? Zo vond ik Joke toch ook terug?

En dan bel je hem op en krijg je zijn nieuwe vrouw…

De glimlach verdween. Het was drie jaar geleden. Een man als hij had intussen al dertig nieuwe vrouwen.

Ze wenkte de serveerster om af te rekenen, ging daarna naar de wc en vertrok.

De rondvaartboot was ook nu net aan een nieuwe tocht begonnen. De steiger was leeg, op een meeuw en een duif na. Er sjokten alweer toeristen op af. Ze fietste het Rokin op, naar de Munt, linksaf naar de Amstel en volgde die zuidwaarts naar het stadsdeel waar ze al haar hele huwelijk woonde.

Het fietsen verkwikte. Dat kwam verdraaid goed uit, want toen ze voor huis haar fiets op slot zette… 'Waar is mijn rugzak?' zei ze hardop voor zich uit. Ze wist het ineens en trok wit weg. Laten hangen in de toiletruimte van de brasserie. Aan de haak aan de achterwand. Met erin haar schoudertas met geld, mobieltje, pinpassen, identiteitskaart, rijbewijs, agenda en huissleutels.

Opgejaagd door panische gedachten en met een razend hart van agitatie beende Babs de buurtsuper uit, waar ze had mogen bellen naar de brasserie. Ze stak het sleuteltje in het kabelslot van haar aan een lantaarnpaal vastgeketende fiets. De serveerster had écht goed gekeken, maar geen rugzak gezien. 'Het spijt me, maar ik héb ook op andere plaatsen gezocht, mevrouw. Ja, ik begrijp uw probleem. Maar heus, hier is hij niet. U kunt het beste alles meteen blokkeren en naar de politie gaan.'

Blokkeren, politie, vertel mij wat, brieste Babs inwendig. Het was Ted z'n schuld! Door hém was ze zo diep verzonken geraakt in herinneringen. Had hij maar van haar moeten blijven houden, want daardoor en door niets anders had ze niet aan haar rugzak, maar aan andere mannen gedacht. Ja, het was zijn schuld!

Maar kreeg ze daarmee haar rugzak terug?

Néé, brieste ze inwendig.

Met een keiharde bonk reed ze de stoep bij haar huis op. Woest trok ze het kabelslot open, met harde hand wikkelde ze de kabel om de boom en met een ferme vuistslag knalde ze het fietsslot dicht. Het sleuteltje schoot weg in het vierkantje gras rondom de boom.

'Vast midden in een keurig op de toegestane plek gedeponeerde hondendrol,' siste ze. Maar dat bleek net weer te mooi om waar te zijn.

Een fiets als enige bezit, sneerde ze inwendig. Ze stampvoette nog eens bij de gedachte hoe ze in de brasserie in verband met zakkenrollers haar mobieltje zorgvuldig in het betreffende ritsvakje van haar schoudertasje had opgeborgen.

Ze kreunde. Met haar hand op het fietszadel gesteund keek ze wéér naar de perfect gesloten ramen en voordeur van haar huis. Ze zuchtte heel lang en heel diep in de hoop dat in elk geval het misselijke gevoel erdoor zou verdwijnen. Ze kon wel janken, maar deed het niet, dat kostte maar tijd terwijl elke seconde voor het blokkeren van de pinpassen telde.

'Mijn rijbewijs…,' kreunde ze. 'Mijn agenda… identiteitskaart…'

Bij de buren was nog niemand thuis. Daarnaast wél, maar dat was het huis van die vervelende vent die bij een buurpraatje niet naar haar gezicht keek maar naar haar borsten.

Mischien was bij de overburen wel de oppas van het jongste dochtertje thuis.

Bij het oversteken keek ze gelukkig wel automatisch goed naar links en rechts. Er kwam na een rijtje auto's, een bus, een taxi, een bakfiets en een brommer ook nog langzaam en breeduit voort peddelend een stel fietsers aan, een man en een vrouw. Ze kon daardoor niet alvast naar de middenstreep lopen, temeer omdat er alweer een nieuwe rij auto's naderde vanaf het verkeerslicht.

'Schiet eens op, mensen!' siste ze geïrriteerd. 'Komt er nog wat van? Trap eens even door. Zo bezienswaardig is deze rij huizen ook weer niet, het is architectuur van niks!'

De fietsers reden zo langzaam dat ze begonnen te slingeren en bijna tegen elkaar aan vielen. Babs sprong uit haar vel toen het door haar heen schoot dat intussen haar bankrekening werd leeggehaald terwijl met haar mobieltje naar Tasmanië werd gebeld en al haar andere spulletjes wegzonken in het water van de gracht.

Net toen ze zich botweg in het verkeer zou storten, zag ze vanuit haar ooghoeken ineens charmante en vrouwelijke vrijetijdskleding, een zwaaiende arm en een man die van zijn fiets sprong. Een huurfiets was het, gezien het oranje tape om de zadelstang. Verbluft stapte ze weer de stoep op. De vrouw liep haar tegemoet, zwaaiend met Babs' bloedeigen rugzak.

7

Als kind was Babs een keer met haar ouders op zomervakantie in Drenthe geweest. Vaag herinnerde ze zich het bezichtigen van een hunebed, hoe vies ze het er naar urine vond stinken en hoe eng de kille duisternis was in het stenen graf. In die tijd mocht je er tenminste in, in zo'n hunebed, en kennelijk ook ertegenaan plassen. Men vond de eeuwenoude overblijfselen toen misschien nog niet zo bijzonder.

Nu, een half mensenleven later, wandelde ze op haar gemak door het oude stadshart van Assen. Zomaar, tegen lunchtijd op deze redelijk zonnige doordeweekse augustusdag, waarop Ted 's avonds…

Kortom, ze deed iets anders dan anders, onder het motto nu of nooit. Ze ging op bezoek bij een kennis van haar vader uit het verre verleden, en ideeën opdoen voor de opdracht van een kinderverhaal.

Wát kennis? De vrouw die volgens haar moeder haar moeder was.

Om haar gedachten af te leiden bekeek ze uitvoerig een mooi oud gebouw, en las ze toch maar de beschrijving ervan op de routebeschrijving in haar hand. Aha, het gebouw was het ontvangershuis uit de 17de eeuw, juist ja. Ze wandelde verder, volgens de beschrijving in de richting van het gerechtsgebouw.

Zomaar in Assen, dacht ze. Omdat ik te vroeg ben voor mijn afspraak. Zou ik dit vóór de onverwachte overnachting bij Rutger gedaan hebben? Vast niet. Dan had ik mijn vrije tijd thuis nuttig besteed en geen Fiatje gehuurd voor een paar dagen op mezelf in Drenthe.

Stiekem pas bij een volgend treinstation uitstappen mag onnozel lijken, net als een etentje aanbieden aan onbekenden die eerlijk je rugzak terugbezorgen, gewoon of alledaags was het niet.

Want het was met Helmut en Frederike spontaan een uitbundige avond geworden met rijkelijk wijn en vertrouwelijkheden. En of die twee uit haar Duits nu wel of niet begrepen wat ze allemaal vertelde, voor haarzelf stond het toen, zo oog in oog met mensen die gelukkig met elkaar waren, als een paal boven water dat ze echt moest gaan scheiden.

Doordat ze zo zeker van haar zaak was, had ook Ted het na haar rustige, hoewel verdrietige betoog goed begrepen. Maar zijzelf een week of wat later nog véél meer, toen ze Ted op zijn mobiel belde en het ding door het-slippertje-van-toen werd aangenomen…

'De tijd was er kennelijk rijp voor om uit elkaar te gaan,' had ze tegen haar zoons gezegd. Niet dat de gesprekken met Arthur, Bastiaan en Casper nou zo gemakkelijk waren. Ze wilde geen kwaad zeggen over Ted, en toch duidelijk zijn.

Maar dat schudde ze hier in het zonnige Assen van zich af. De jongens waren volwassen. Arthur had zijn lieve, leuke Fietje. Bastiaan had maar een uur de tijd, hij moest voor een fotoproductie naar het buitenland en dus naar Schiphol. Casper had het te druk met de sportschool om zich zorgen te maken over zijn ouders. Gelukkig maar.

Alleen aan Arthur en Fietje had ze het verteld van haar moeder. Dat ze het ging uitzoeken, maar dat ze ervan overtuigd was dat ma van alles door elkaar had gehaald. 'Tussen de paperassen uit haar secretaire vond ik een schrift met wat je dagboekaantekeningen zou kunnen noemen, ook al stond er vaker niet dan wel een datum bij. Daar ben ik in gedoken. Ze wilde het zelf, en toch voelde het naar en voyeuristisch. Weet je, eigenlijk noteerde ze totaal onbelangrijke dingen: dat ze de kamer een goede beurt had gegeven, bloemen had gekocht op de markt en verder had gebreid aan weet ik wat voor vreselijk kriebelend kledingstuk. En toch kwam ik daardoor te diep in haar leven. Misschien ook door dat steeds terugkerende, dodelijk saaie ritme van huishoudelijke bezigheden en bezoekjes van en aan koffievriendinnen. Uiteindelijk vond ik een bladzijde met een relaas over een oude schoolgenoot van mijn vader, die rechter was en wiens echtgenote Heleen, ik citeer, "dan wel een beschaafde, charmante vrouw leek, maar niet anders dan een sloerie kon zijn omdat ze balletdanseres was geweest." "Zie verderop" stond er in een andere kleur inkt onderaan gekladderd.'

42

'En?' had Arthur gevraagd.

'Verderop stikte ze kennelijk bijna van jaloezie. Mijn vader en Heleen bleken elkaar wel eens te ontmoeten in Amsterdam, waar Heleen naar balletvoorstellingen ging en bij een nicht logeerde.'

'En?' vroeg Arthur weer.

Babs had haar schouders opgehaald. 'Dat was het. Meer was er niet.'

'Daar zouden ze jou hebben gemaakt? Kun je dat niet uit het jaartal opmaken? Of stond dat er niet bij?'

'Nee, ik bedoel, er stond geen datum bij. En verder... Mijn vader was een zeer rechtschapen mens. Hij veroordeelde ontrouw zoals hij elke oneerlijkheid of onrechtvaardigheid veroordeelde.'

Ze zei natuurlijk niet dat ze háár rechtschapenheid kennelijk van hem had. Dat ze dus niet alleen uiterlijk op hem leek.

'En nu?'

En nu wandel ik door Assen, waar die Heleen vast ook wel wandelde, dacht Babs. Na een broodje hier of daar rijd ik naar haar dorp toe. Een kleine bungalow achter een groot gazon met links en rechts hoge bruine beuken. Daarop kan ik volgens mevrouw beter letten dan op de huisnummers, die slecht te lezen zijn omdat de huizen nogal ver van de weg liggen.

Ze zag het voor zich, en tegelijk ging het vraag-en-antwoordspel met haar oudste zoon in haar gedachten verder.

'Heb je haar dan al gevonden?'

'Ja.'

'Hè? Hoe dan? Zomaar zeker...'

'Het was inderdaad tamelijk eenvoudig. Via internet. Ik wist de achternaam van die rechter. Ik wist de naam Heleen, en dat er iets met ballet was. Wat is internet toch een grandioos medium!'

Terwijl ze keurig de routebeschrijving in haar hand volgde, en door een fraai aangelegd park liep dat werd aangeduid met Gouverneurstuin, hoorde ze zichzelf weer vertellen dat ze een mevrouw van het secretariaat van een culturele vereniging, waarvoor Heleen nog niet eens zo lang geleden een lezing had gehouden over het leven van ene Isadora Duncan en haar betekenis voor de moderne dans, dat die mevrouw wel contact met Heleen wilde opnemen om te vragen of een freelance journaliste, een zekere Babs Vierhoef, haar mocht opbellen voor een gesprek over ballet in het licht en de mores van het vooroorlogse Nederland.

Freelancejournaliste. Tjongejonge. Maar nood breekt wet. Was het gelukt als dochter van een man met wie mevrouw in een grijs verleden afspraakjes had gehad? Nee toch?

'Wat een krankzinnig verhaal!' had Arthur uitgeroepen.

'Het is echt iets voor een van die tv-programma's over verdwenen familieleden,' zei Fietje.

'Waarmee mijn moeder ook wel in de war zal zijn geweest,' had ze gezegd.

'Hoe komt het dat je daar zo zeker van bent?' vroegen ze.

'Daarom,' had ze geantwoord. 'Mijn gevoel zegt het. Mijn moeder was namelijk best blij met me.'

Dat stond ook in het schrift, dat ze zo blij was met haar kleine meid. Dat ze nog nooit van haar leven zoiets moois had bezeten, terwijl je natuurlijk nooit je kinderen bezat, die immers met de dag verder van je los kwamen. Maar dat haar lieve schatteboutje toch haar alles was, ook al zou ze haar nooit verwennen. Ook niet als het binnenvallende zonlicht haar haartjes weer van goud maakten en haar wangetjes roze als marsepein.

Zo poezelig poëtisch praatte haar moeder vroeger inderdaad wel eens. Niet over haar, maar over een nest katjes bijvoorbeeld. Of over de eerste sneeuwklokjes. Babs twijfelde daarom niet aan de oprechtheid.

Trouwens, zelf had ze ook wel eens van die idiote dingen tegen haar kleine schatten gebrabbeld. Bastiaans krullen had ze een tijdje lief maar plagerig 'guirreguirreguirrelandes' genoemd en hem dan in zijn zij gekieteld.

Malle Bas, dacht ze nu, waar hang je uit? Dat was altijd de vraag. Hij werkte voor een internationaal tijdschrift. Gekke dwarse Bas met zijn krullen en oude leren jack, op zijn soldatenkisten.

Zo verschillend van elkaar de jongens toch zijn, mijmerde ze. Arthur, de serieuze en degelijke, in het keurige pak. Bastiaan, de vrije flierefluiter. En Casper, de sportieveling in zijn eeuwige trainingsoutfit, die zijn eigen sportschool wilde, absoluut niet met zijn kont op een bureaustoel kon blijven zitten en al vanaf de middelbare school met Chantal was, die met haar hippe sieradenwinkeltje, waar zijzelf vast wel al honderd oorbellen had gekocht, goudgeld verdiende om straks de enorme schuldenlast voor de sportschool te kunnen dekken. Chantal zou het liefst operettezangeres worden; ze gooide best hoge ogen in het amateursgezelschap waarin ze al van klein kind af zong.

Wat een grote kinderen! Dag na dag na dag waren ze van haar los gekomen, en opeens was er bij haar het besef dat ze voor de volle honderd procent heer en meester waren over hun eigen leven, en dat zij doorgeschoven was naar een andere, oudere generatie.

Ze hadden het goed gehad bij haar en Ted, dat bleek uit hun reacties op de scheiding. Het zou zo mooi geweest zijn als dat zo had kunnen blijven. Dat waren de woorden van Casper.

Ze moest iets wegslikken.

'Hoe doen we het nu met kerst en verjaardagen?' Dat was Arthur.

'Net als anders,' hoorde ze zichzelf weer antwoorden. Dat vond ze nu ook. 'We zijn niet boos op elkaar. We hébben alleen niets meer met elkaar. Voor mij was dat niet goed. Ik was niet tevreden en gelukkig, ik miste energie en goede zin. Dat merkte ik, en omdat ik net als ieder ander maar één leven heb, wil ik daar het beste van maken.'

Een goed antwoord was het!

Ze merkte opeens dat ze naar een schoolbord stond te staren. *Ons broodje van de dag*, stond er in sierlijke krijtletters, met eronder: *broodje Bartje, zonder bonen maar met verse sla en lekker veel uitgebakken spekjes.*

Ja, natuurlijk, ze was in Drenthe. Ze liep naar binnen door de wijdgeopende deuren.

8

Het had een dramatisch moment kunnen zijn, het moment waarop Babs oog in oog stond met de vrouw die volgens haar moeder haar moeder was. Maar dat was het niet. Het was doodgewoon een kwestie van zich voorstellen met een inleidend babbeltje en met, natuurlijk, wederzijds aftasten wat voor vlees er in de kuip zat.

'Zeg maar Heleen. Al dat mevrouw en u. Ik hoor niet anders.'

Dat was duidelijke taal. Net als het feit dat aan het geheugen van de tanige oude dame niets mankeerde. Pientere ogen, een scherpe blik, geen tel aarzeling in het gesprek en een verwonderlijk rechte houding voor een negentigjarige. Ze was alleen kortademig.

Zelfs met veel verbeeldingskracht was er niet het minste spoortje van uiterlijke gelijkenis tussen hen te ontdekken. Over Isadora Duncan had mevrouw een mooie biografie klaargelegd, die zelfs antiquarisch niet meer te koop was. Babs mocht hem lenen.

Dat was dat.

'Wat betreft de dans in het licht en de mores van het vooroorlogse Nederland...'

Ze moesten eerst maar thee drinken. Waarbij Babs, ontroerd door de oude handen die de theepot vasthielden, als echt kind van haar principieel eerlijke vader de ware reden van haar bezoek opbiechtte.

'Over Frans Vierhoef wil ik het een en ander vragen. Hij was mijn vader. En journalist ben ik ook niet, ook al werkte ik tot voor kort bij de krant...'

Frans... haar vader... Meende ze dat? Hij was toch al jaren geleden overleden?

Heleen had Babs scherp aangekeken en heel even geconcentreerd zitten nadenken.

Een mooie man was Frans indertijd. Een goed postuur, een knap gezicht, een helder verstand. En humor!

Een stevige bos haar en een mooi gebit – dat was een pré indertijd, menigeen had immers al op jonge leeftijd een kunstgebit.

Hoe kenden ze elkaar? Wel, hij was een oude schoolvriend van haar man, zo hadden ze elkaar leren kennen, zij en Frans. Vandaar dat ze ook een overlijdensbericht hadden ontvangen. Hoe wist ze anders dat...

Na Babs nogmaals onderzoekend te hebben aangekeken, constateerde Heleen dat ze op haar vader leek. Ze herkende nu inderdaad zijn knappe gelaatstrekken in Babs, zijn haar ook, hij was jong grijs. Ja, nu zag ze Frans weer helemaal terug, ook al was het zo ontzettend lang geleden.

Ze waren gecharmeerd van elkaar geweest, Frans en Heleen. Toen Heleen dat bekende kwam er een oprechte lach met duizend rimpels over haar gezicht die haar ogen deden schitteren. Het had niets om het lijf, dat vooropgesteld, maar ze waren toch wel een beetje verliefd geweest. Of... verliefd? Ach, noem het maar zo, want zij was toch maar, zogenaamd voor balletvoorstellingen, een paar maal naar Amsterdam gereisd om Frans te zien. Ze hadden zulke leuke gesprekken. O ja, dat was waar ook, zij logeerde toen bij een nicht van haar man, zo ging dat in die tijd.

Ach, het was weer voorbijgegaan. Het was ook ondoenlijk. De vriendschap tussen de twee mannen was nog een poos gebleven, maar hoe gaat dat, het was een lange reis van Amsterdam naar Drenthe.

Ze glimlachte afwezig.

Babs wachtte af. Er kwam vast nog meer.

'Ja, zo ging dat...

Natuurlijk hielden we in die jaren voor de oorlog net als in deze moderne tijd van de spanning tussen man en vrouw. Er is toch niets heerlijkers dan hofmakerij en flirten? Alleen niet openlijk, en je mocht er natuurlijk als gehuwde vrouw absoluut niet aan toegeven; een doodzonde was dat.'

Ze was op nog wel meer mannen een tijdje verliefd geweest. Haar echtgenoot was nu eenmaal zo romantisch niet. Een rechtvaardig mens, een gewetensvolle rechter, maatschappelijk betrokken en actief in menig bestuur. Onschuldige dromerijen en contacten met mannen als Frans hadden haar leven de jeu moeten geven waar hij geen aanleg voor had. Er was ook zo'n contrast tussen de heerlijke lossere toverwereld van het ballet en haar latere leven met z'n door conventies beperkte alledaagsheid. Door droom en fantasie was die straffeloos te overbruggen, want zo wilde ze het, haar man was een goede echtgenoot en zij maakte door haar persoonlijkheid zijn leven op haar beurt speelser en luchthartiger.

Overspel was destijds uit den boze. Je werd uit de maatschappij verstoten! Zulke consequenties van de ijzeren omgangswetten tussen man en vrouw alleen al blokkeerden de weg naar lichamelijkheid. Trouwens, waar had je als vrouw in die jaren de middelen vandaan moeten halen om een zwangerschap te voorkomen? De man zorgde daarvoor. Of niet natuurlijk, en dan volgde er onherroepelijk een zwangerschap. Gezinsplanning was iets voor de elite, voor gestudeerde mensen of mensen van goede komaf, zoals zij... Alleen arme mensen kregen zoveel kinderen.

Ze moest de vraag in Babs' ogen hebben gelezen.

Nee, schudde ze met haar hoofd, toen zij vonden dat het juiste moment voor kinderen er was, kwamen ze niet. En dat lieten ze zo. Haar man had zijn drukke werkzaamheden en zij...

Ze knikte Babs toe. 'Ik zal er niet meer over zeggen dan dat ik het uitstekend vond zo. Ik had, om het zomaar uit te drukken, meer belangstellingen dan het baren en opvoeden van kinderen.'

'Dus geen spijt,' concludeerde Babs glimlachend.

'Geen spijt.'

Dat alles overdacht Babs later, toen ze lui tegen de kussens van een royaal bemeten hotelbed naar buiten lag te kijken. De vitrage van de tuindeuren had ze wijd opengeschoven. Ze haalde zich allerlei details van de woonkamer en het theeservies, en van Heleens gezicht en haardracht voor de geest om niet aan thuis te denken.

Dat verandert er toch niets aan, had ze gedacht. De situatie is zoals hij is. We gaan uit elkaar en dat weten we nog maar nauwelijks een paar maanden. Het slijt, net zoals het bij Heleen sleet, en er komt weer een toekomst.

Ze keek oplettender naar buiten. Voor de tuindeuren was een privéterrasje, dat nu in de schaduw lag, en erachter een weiland, dat misschien wel de eeuwenoude es van het dorp was. Ze wist het niet, maar de majestueuze eiken en beuken erin wezen daar wel op.

Het was een heerlijk rustig hotel, met een mooi restaurant en een terras waar 's avonds ook kon worden gedineerd. Van andere gasten merkte ze niets. Ze moesten er wel zijn, gezien de geparkeerde auto's. In de lounge hadden trouwens wat oudere mensen zitten lezen, mensen die geen grote reizen meer maakten, voor dichterbij kozen. Natuurlijk had ze met gemak heen en weer kunnen rijden naar Assen. Autosnelwegen genoeg om snel weer thuis te zijn als je dat wilde. Maar dat wilde Babs niet. Ze wilde wég zijn omdat Ted die avond zijn persoonlijke bezittingen uit hun huis zou verhuizen naar de flat van zijn slippertje. Het was om wel duizend redenen beter dat zij daar geen getuige van was.

'Rot,' had Joke gezegd.

'Ja. Absoluut. Maar de opluchting overheerst,' had Babs geantwoord. 'Dit is een zure appel. Daar bijt ik maar doorheen. Ter compensatie ga ik een paar dagen rondneuzen in Drenthe. Weet je, ik wil er dat kinderverhaal laten afspelen, die opdracht van de schrijfcursus. Het moet namelijk gaan over een heerlijke lange zomerse schoolvakantie met wolkeloze luchten. Je kent het wel.'

Daar concentreerde ze zich nu op. Als ze nu eens een verhaal schreef over een gamend en mobiel bellend randstadjochie dat op vakantie in Drenthe door iets idioots als een tijdsterugval terechtkomt in de jaren vijftig, toen er nog van die lange, warme zomers waren.

Een 'tijdsterugval'? Hoe dan?

Dat zag ze wel. In elk geval moest dat joch het gaan rooien met een boerenjongen als vriendje. Voor wie tv, pc en mobieltje niet bestonden, die geen cola kende en water dronk uit een beekje…

Behulpzaam graasden twee paarden haar uitzicht binnen. Gestaag vorderden ze in de richting van de zwartgetaande schuur verderop. Onverstoorbaar en vastberaden.

Onverstoorbaar en vastberaden, zo gingen ook mijn vader en Heleen om met hun principes, dacht ze. Ze kregen niets met elkaar.

Het kon niet, het mocht niet, het zou hun hele leven overhoop halen. Ja, ja.

Ze ging rechtop zitten en reikte naar haar make-uptasje op het nachtkastje. Ze pakte er de lippenstift uit. Wat ben ik ouderwets geweest, dacht ze. Ik had toch gewoon... Ik slikte toen de pil nog.' Ze stiftte haar lippen en poetste met haar vinger haar wenkbrauwharen netjes. Nu hoefde ze niet langer principieel te zijn. Als ze in dit hotel een aantrekkelijke man tegenkwam, die wilde toehappen...

Ze stond op en liep naar het raam. Ze zag zichzelf naderen, tenminste, ze zag haar grijze haar weerspiegeld. Maak jij nu maar notities voor dat kinderverhaal, dacht ze terwijl ze langs haar spiegelbeeld naar buiten keek. Toehappen, het zou wat...

Een auto manoeuvreerde op de parkeerplaats, uiterst rechts, waar ook haar huurauto stond. Het was ook een Fiat, maar een andere kleur. Boem! Hij botste met de achterbumper tegen een van de weinige paaltjes die het terrein afscheidden van het weiland. Een flinke klap was het.

Nieuwsgierig bleef ze kijken. Beide portieren sloegen open. Een man en een vrouw stapten uit. Ze gierden van de lach! De man gooide zijn armen en romp helemaal achterover, zo schaterde hij. De vrouw dook in elkaar met samengeklemde knieën.

Babs grinnikte. Die moest plassen!

Nu stonden ze de schade op te nemen. Weer schoten ze in de lach. De vrouw boog helemaal dubbel. Babs keek het met grote ogen van verbazing aan. Lachen om domme pech kon dus ook. Wat moest dat heerlijk zijn. Deze mensen waren vast op huwelijksreis. Hoewel, ze waren van haar leeftijd...

Haastig schoof ze de vitrage dicht omdat het stel haar kant op keek. Ze ging met de map hotelinformatie in een van de stoeltjes bij het raam zitten. Ze las het woord van welkom en liet haar blik gaan over de telefoonnummers van de plaatselijke huisartsen, tandartsen, dierenartsen en apotheken. Wat te doen bij brand, las ze. Omdat het haar nuttig leek, bestudeerde ze de in rood aangegeven vluchtweg op de plattegrond.

Opeens merkte ze hoe serieus ze dat deed.

'Jij bent gek,' zei ze hardop. 'De vluchtweg, mens, je rent gewoon de tuindeuren uit. Hou op, zeg.'

Ze klapte de map dicht en stond op. Ze had nota bene boven op die dijk bij Rutger staan oreren over spontaniteit en impulsief handelen; over het lammetje dat schaap geworden was. Een schaap was ze nu zelf met haar vluchtweg! Ze ging onmiddellijk iets spontaans doen!

Maar wát? Op dit uur van de dag?

Sightseeing? Shoppen! Ze had maanden niet geshopt! Maar shoppen in dorpswinkels... en voor een wijntje in het aardig ogende cafeetje was het nog geen tijd. Ook alleraardigste cafeetjes waren op dit tijdstip lamlendig leeg.

Kom op!

Wáár ging ze vanavond eten? Luxe in het restaurant van het hotel? Of snel en gemakkelijk in het pannenkoekenhuis verderop? In het eerste geval moest ze zich omkleden, misschien zelfs even douchen en haren wassen en in model föhnen. Ze stond op om haar kapsel in de badkamerspiegel te monsteren. Dankzij de goede coupe zat het nog aardig goed.

Pannenkoeken eten kon trouwens in je gewone kloffie. Zo kon ze haar zomerse linnen broek trouwens wel noemen, zo gekreukt en uitgelubberd was hij na amper een dag dragen. De fut was er voor de zomer goed en wel begonnen was al uit. Ze streek met haar hand over de stof en stelde zich voor hoe ze in die jute zak te midden van jonge gezinnen vlak bij een speeltafel met autootjes een vettige pannenkoek naar binnen werkte. En ook hoe ze gedoucht en geföhnd aan een wit gedekte tafel een amuse proefde en goedkeurend knikte naar de ober na het proeven van de wijn. Het eerste was knap armoedig. Het tweede toonde keihard de trieste eenzaamheid van een opgedofte gescheiden tut.

Dit schoot niet op.

Ze oefende een glimlach en voelde hoe stijf haar wangen waren na een dag vol ernst. Ze liep met opgetrokken mondhoeken de kamer op en neer en bleef een tijdje staan om het kunstwerk aan de muur op artistieke waarde te beoordelen. De glimlach hielp niet om er iets positiefs aan te ontdekken.

In de spiegelwand op de kastdeuren bekeek ze de broek. Haar glimlach was intussen van ijzer geworden, maar de broek bleef geen gezicht. Ze schudde haar billen heen en weer. De stof schudde sloom mee.

Stel eens dat ze straks een afspraakje had. Zou ze dan gauw, gauw een nieuwe broek kopen? Eentje die lekker strak zat en licht uitwaaierende pijpen had. Met dit eenvoudige witte linnen bloesje erop en een leuke, royale witte schoudertas nonchalant over haar schouder. En op bijvoorbeeld rode schoentjes met een hoog hakje en een riempje over de wreef, schoentjes die wel heel erg lekker liepen voor als ze na het diner het dorp in gingen om nog wat te dwalen door het groen en die prachtige bomen te bekijken, ook al was het dan vast al erg schemerig; het was tenslotte al bijna eind augustus.

En hij? Hij was in een strakke vrijetijdsbroek met een fris gestreept shirt erop en een trui losjes over zijn schouders, zoals in vroegere sigarettenreclames. Maar het voornaamste was dat hij aandachtig was, die vent met sprankelende ogen, en dat hij ad rem antwoordde op iets van haar waarom ze beiden spontaan in de lach schoten, zelfs de slappe lach kregen.

Ze zuchtte lang en diep.

Was ze beter af geweest als ze zich Stan wél gepermitteerd had?

Welnee. Hou toch op. Dat geweten van haar had haar stokstijf van de stress gemaakt. Een ramp was het geworden.

Maar nu was ze vrij…

En oud.

Oud? En Joke dan? Joke had zich vanaf de eerste seconde met Rutger helemaal laten gaan.

Maar dat was anders. Joke was weduwe. Rutger ook. Oké, weduwnaar dan.

Dus dat maakte verschil?

Precies. Dan kon je er niets aan doen dat je alleen was. Dan had je als het ware nog wat partnerschap tegoed. Terwijl zij nu eenmaal getrouwd was.

Ze snoof.

Bij Joke en Rutger speelden hun leeftijd, haar overgewicht en zijn kaalheid dus geen rol?

Nee, natuurlijk niet.

Joke was trouwens ook grijs. Ze verfde. Dus…?

Dat was anders.

En dat Stan bijna kaal was bovenop?

Stan had een leuke kop met een enthousiaste blik. Dat maakte nogal wat uit.

Als zij nu ook eens haar haren kleurde?

Dat had ze toch gedaan! Het stond haar niet. Het was onnatuurlijk en maakte oud.

Iets anders. Was zij niet een jaar jonger dan Joke? En Rutger was opa. Hij had vier kleinkinderen!

Opeens pakte ze haar tas en de kamersleutel. Basta! Ze ging een broek kopen. Een hele dure misschien wel, die lekker spande om de billen.

9

Het werden toch pannenkoeken, want de pantalons zaten niet goed, ze lubberden als kangoeroebuidels bij haar liezen, of sneden messcherp in haar bilnaad en kruis. Alleen een jeans zat als gegoten. Het was er een met flonkerende kristalletjes op de achterzakken.

Maar een jeans kon onmogelijk in een chic hotelrestaurant; het korte bloesje gaf bovendien teveel geflonker prijs. Helaas verkochten ze in het dorp geen rode schoentjes en haar eigen zwarte stonden hier te degelijk en sportief bij.

Gelukkig vertrok er net een half kinderdagverblijf uit het pannenkoekenrestaurant, met achterlating van een half verwoeste inventaris, toen ze om een tafeltje vroeg. De gezinnen aan de andere tafeltjes leken al aardig gevorderd met hun maaltijd.

De witte wijn was verrassend genoeg prima te drinken, vast als laatste strohalm voor de volwassen gasten. Aan mensen die enigszins gezond wilden eten bood de menukaart diverse salades. Net toen Babs koos voor een kaaspannenkoek en een groene salade met paprika en olijven, kwam er nog een klant zonder kinderen binnen.

Babs schoot overeind. Was die man echt in een krijtstreepkostuum? Zag ze het goed?

Ja, verdraaid. Weliswaar droeg hij geen stropdas en stond de kraag van zijn overhemd open, maar toch. Idioot! Wie gaat er nou in zo'n pak pannenkoeken eten? Als je even diep zuchtte stoof je onder de poedersuiker en die troep kleefde als secondelijm, dat bleef je zien op zo'n krijtstreep; dat pak kon na vijf happen linea recta door naar de stomerij.

Die man was beter af in het fantastische restaurant van haar eigen hotel.

Kon ze hem dat aanbevelen, of gaf dat geen pas?

Inmiddels ging het gezin links van haar van tafel; de serveerster bracht haar salade. Met een blad sla aan haar vork geprikt constateerde ze dat dit zo dwaas was dat ze zich zelf ook niet aan de conventies hoefde te houden. Een krijtstreep in een pannenkoeken-huis… Dwars over de ruïnes van de buurtafel heen kon ze best vragen of hij misschien niet restaurant blablabla kende, want dat het volgens de hotelfolder uitstekend scheen te zijn.

Ja, ze zullen in hun eigen folder zeggen dat het eten er niet best is, dacht ze. Ze schoot ervan in de lach.

Kom op, nu! Niet langer over nadenken! Nu of nooit, vroeger was ze ook spontaan!

'Sorry,' zei ze terwijl ze haar vork even neerlegde. 'Een binnen-pretje, maar niet om wat me echt intrigeert. Dat is… wat brengt u hier, ik bedoel in een zakenkostuum, naar een pannenkoekenhuis vol vette vingers, stroop en stuivende poedersuiker?'

Gelukkig kon hij erom lachen. 'Trek en tijdgebrek,' luidde het antwoord. 'Ik moest hier in de buurt naar een begrafenis. Het napraten liep uit. Het ging om een vroegere zakenrelatie, met veel oude bekenden. Zijn vrouw fokt paarden, ze verhuisden…' Een wijds armgebaar moest het verder maar verduidelijken. 'Tja, nu is hij dood.'

De serveerster bracht hem de kaart. Babs prikte de olijven uit de salade. Steels keek ze opzij. De dood was geen onderwerp om op aan te haken. Giechelig drongen woorden als spontaan, impulsief, luchtig en vrolijk zich aan haar op. Toe dan, riep het binnen in haar, probeer eens wat, het kan toch ook juist over het leven gaan? Wat geeft het nou, je ziet deze vent toch nooit meer!

'Ik ben hier voor mijn werk,' loog ze lukraak toen hij bier en een spekpannenkoek met uien besteld had.

Een leugen voor bestwil, siste ze inwendig tegen haar tegenspar-telende gevoel van oprechtheid in. Ik kan toch moeilijk zeggen dat ik hier ben omdat mijn ex z'n spullen uit ons huis weghaalt.

'Vanmiddag heb ik een oude dame over haar balletcarrière ge-interviewd,' ging haar stem voortvarend verder. 'Morgen wil ik research doen voor een kinderverhaal. Ik kom uit Amsterdam, dit was mooi te combineren.'

Hij knikte. 'De drukte op de weg neemt zoveel tijd, de afstand is het niet. Er waren héén trouwens geen files. Terug hopelijk ook niet.'

'Jij woont en werkt ook in het westen?' vroeg ze terwijl ze haar glas pakte voor een ferme slok om haar leugens weg te spoelen. Tegelijk vond ze dat 'jij' nogal vrijpostig, maar tegenwoordig zei praktisch niemand meer u.

Hij knikte met zijn zojuist gebrachte bierglas in de hand. 'Proost.'

Babs pakte snel haar glas. 'Saluut,' zei ze automatisch. Stom, zo proostten de jongens altijd met elkaar. 'Gezondheid,' corrigeerde ze lachend. 'Mijn zoons zeggen altijd saluut.'

'Saluut is een studentenuitdrukking.' Hij lachte. 'Dan is het vast lang geleden dat je buitenshuis ging om pannenkoeken te eten.'

Ze giechelde. 'Zeg dat. Het is eeuwen geleden.' Dat ze door ervaring zelf veel betere pannenkoeken bakte, hield ze net in.

'Ik ben er weer aan verslingerd geraakt. Mijn jongste wil niet anders. Ze is vier.'

'Poeh,' deed Babs. Ze schatte de man van haar eigen leeftijd, en dan een jong kind. Wat een misrekening. Zat ze daarvoor jeugdig, spontaan en impulsief te doen.

'Mijn oudste wilde altijd naar een kippenrestaurant,' vervolgde hij grinnikend. 'Kip, frites en appelmoes. Dat was toen mode. Bestaan die dingen eigenlijk nog?'

Tweede leg, met een frisse jonge vrouw, dacht Babs. Haar pannenkoek werd voor haar neus gezet. Hij rook toch wel lekker. Ze proefde een stukje. Het zou haar niets verwonderen als er flink wat eieren in zaten. Misselijk dat mannen na een scheiding of overlijden de draad gewoon weer opnemen en met een jonge vrouw opnieuw een gezin beginnen. Als Ted dat maar uit zijn hoofd liet!

Maar met wat Ted wel of niet van zijn slippertje wilde, had zij helemaal niets te maken. Zij wilde toch scheiden? Ze nam een flinke hap om het idee weg te kauwen.

'Smaakt hij?' vroeg de man.

'Tegen mijn verwachting in prima. Daar kan het chique restaurant van mijn hotel niet tegenop,' zei ze, terwijl ze het eigenlijk wel gehad had met het impulsieve. 'Onzin natuurlijk,' liet ze er dan ook onmiddellijk op volgen. 'Appels en peren kun je niet vergelijken.'

Ze nam nog een paar flinke happen. Nu werd ook zijn pannenkoek neergezet, waardoor het gesprekje als zand tussen de vingers vergleed. De grootste drukte in de zaak was al over. De serveersters stonden bij de bar te praten. Het lukte Babs niet om een tweede glas wijn te bestellen. Ze zag er maar van af en concentreerde zich op de salade, die verfriste ook de mond wel.

'Wat voor kinderverhaal?' hoorde ze opeens naast zich.

Dat het voor een schriftelijke cursus was, slikte ze nog net bijtijds in. Dat paste niet bij de status die ze zich zopas had aangemeten.

'Een hobby,' deed iets heel spontaans haar zeggen. 'Het vrije werk naast de journalistiek.' Ze kreeg het er warm van. 'Eigenlijk heel gewoon, maar ik ga erin op, het ontspant me. Wat niet wegneemt dat het verhaal eerlijk gezegd best bijzonder en origineel is.'

Toe maar, toe maar, dacht ze.

'Voor welke leeftijdsgroep?'

Ze deed een gooi. 'Zeg maar van acht tot twaalf jaar.'

'Er verschijnt gigantisch veel voor kinderen,' zei hij.

Ze trok haar wenkbrauwen op. 'Zeg je dit als consument of zit je in het vak?' Het klonk nogal stijfjes.

'Mijn zuster is uitgever van een kinderboekenfonds. Er is ook een enorm aanbod uit het buitenland. Het kind is vandaag de dag koning, hè.'

'Zeg dat, maar goh, wat interessant.' Ze kon niets anders bedenken.

'Heb je er wat aan als ik je in contact breng met de uitgeverij? Ik bedoel, ze blijven hun ogen open houden voor onbekend oorspronkelijk talent.'

Het werd haar opeens erg heet onder de voeten. Dit leek in niets op haar oude spontaniteit. Dit was gewoon bluffen en liegen. Dit doe ik nooit meer, dacht ze, want ik heb er niets aan, helemaal niets. En nu *back to normal*.

Ze hapte schielijk de laatste stukken pannenkoek weg en prikte twee olijven en een stuk paprika aan haar vork. 'Nee,' zei ze, 'het schrijven is mijn hobby en dat moet het blijven.'

Opeens wist ze hoe ze terug op het rechte pad kon komen. 'Een vriendin van me is beeldend kunstenaar, ik weet hoe moeizaam de weg naar bekendheid is. Hoe goed je moet zijn en wat je er allemaal voor over moet hebben. Daar bedank ik voor. Iets anders, ik neem nog koffie. Wil jij er ook een?'

10

Natuurlijk was Babs bij de opening van de expositie met werk van Joke, en daar zag ze Rutger terug. Het was op een zondagnamiddag en warm, bloedheet eigenlijk, voor september.

'Echt weer voor mijn koele linnen jurk,' zei Joke stralend. 'Goed dat ik je raad ter harte nam, hè?'

Ze zag er patent uit. Of ze was afgevallen, was niet te beoordelen, daar zat de jurk te ruim voor.

Helaas viel door het warme weer het aantal bezoekers nogal tegen. Mensen zochten liever de natuur op dan naar een galerie vol hete spotlights in een nauw straatje in het centrum van een grote stad te gaan. Een troost was dat de tentoonstelling vier maanden duurde. Kansen genoeg dus. Toch was Joke tegen het sluitingsuur natuurlijk teleurgesteld. Zelfs haar vrienden en familieleden waren niet komen opdagen. Ze knapte pas weer op toen een journalist van een kunsttijdschrift een afspraak met haar wilde maken voor een interview met foto's. Hij was gecharmeerd van haar werk.

'Ik dacht al dat er geen belangstelling was omdat ik zo dik ben,' giechelde ze vlak bij Babs' oor, toen ze bij het weggaan stonden te wachten om van haar mede-exposanten afscheid te nemen. 'Op de foto in de uitnodiging ben ik echt wanstaltig!'

'Wanstaltig? Joke, schaam je,' siste Babs terug. 'En wat een belachelijke gedachtegang!'

Babs reed met ze mee naar de boerderij, waar ze de volgende avond pas zou vertrekken. Daar aan de rivier was het jammer genoeg te nevelig om nog buiten te zitten. Daarom hieven ze aan de keukentafel het glas. Ze liepen tussendoor nog wel naar de stal die Rutger achter in de tuin bouwde. Daarin moesten een pony, geiten en konijnen komen. Maar het bouwwerk leek door het royale raam op het noorden eerder een atelier te worden.

Babs opperde dat. Mondje dicht, gebaarde Rutger met een veelbetekenende blik op Joke.

Babs snapte het. Joke wilde in haar doodgewone tussenwoning blijven wonen, ten eerste omdat ze op loopafstand een atelier had, en ten tweede omdat ze er niet aan moest denken telkens gasten om zich heen te hebben. Maar Rutger ging haar met deze zogenaamde stal op andere gedachten brengen! Wat geweldig.

Wat heerlijk dat jullie elkaar gevonden hebben, wilde ze tegen Joke zeggen toen ze getweeën terugliepen. Maar het kwam haar mond niet uit en haar gezichtsspieren wilden alleen maar fronsen van ontevredenheid en kwaad kijken in plaats van glimlachen.

Ik ben jaloers, dacht ze. Wat vreselijk. Wat een rotgevoel. En dat vanwege het geluk van deze twee ontzettend aardige mensen.

'Joke, je moet niet zo smalend over jezelf praten,' kwam er opeens wel uit. 'Jezelf wanstaltig noemen, dat mag je jezelf niet aandoen.' Geniet er toch van dat Rutger je een prachtige vrouw vindt, wilde ze eraan toevoegen. Maar weer weigerde haar stem.

'Wat goed, hè, dat we hier zomaar gingen overnachten,' kwam er in plaats daarvan zonder horten of stoten uit. 'Het heeft je leven volslagen veranderd.'

Ze was blij dat ze dát tenminste gezegd had.

Ik moet gewoon opbiechten dat ik haar benijd, dacht ze. Dan is het er maar uit. Maar het is wel een afschuwelijke gewaarwording. Ik ben nooit jaloers geweest!

Ze waren intussen bij de bijkeukendeur aangekomen. Joke ging haar voor naar binnen, langs de magazijnstelling de lange gang in naar de woonkeuken. Haar rug en achterwerk waren inderdaad erg breed. Zijzelf kon daar wel twee keer in!

'Ik ben eigenlijk jaloers op je,' zei ze ineens tegen dat achterste. Het lukte!

'Zei je jaloers?' vroeg Joke zonder zich om te draaien.

'Ja, omdat je zo'n fijne man hebt gevonden.' Zie je wel, nu kon ze het gewoon zeggen!

Joke duwde de keukendeur open en ging naar binnen. Babs liep op de stoel af waarin ze daarnet gezeten had, maar ze bleef staan en pakte haar nog halfvolle wijnglas op. Ze nam een slok. 'Ik hoop ook nog eens tegen een aardige vent aan te lopen. Maar ja, ik ben de jongste niet meer en nogal een haaibaai, daar houden mannen niet van.'

'Ben jij gek! Hoe kom je daar nu bij?'

Babs haalde haar schouders op. 'Ik ken mezelf. En ik ben grijs.'

Joke hief met een streng gezicht haar glas. 'Ik ook. Met dit verschil dat jouw haar als zilver is en het mijne de kleur heeft van driedagen oud inweeksop.'

Babs giechelde. Joke merkte het niet. 'Hou op met jezelf zo af te kammen. Jij met jouw figuurtje. Een haaibaai! Waar haal je het vandaan? Jij hebt een spontane en natuurlijke manier om met mensen contact te leggen. Zoals je Rutger meteen voor je gewonnen had, met je sprankelende ogen en je knappe gezicht. Een haaibaai! Schaam je om jezelf zo te kleineren en ongelukkig te maken.'

Babs wilde zich verdedigen, maar Joke ging onverzettelijk door.

'Je bent mentaal hartstikke sterk. Je hebt je terecht losgemaakt van Ted. Je bent helemaal op de goede weg, verpest het niet nu je de vrijheid hebt om te gaan en te staan waar je wilt. Wees tevreden dat je zover gekomen bent. Pas als je tevreden bent, sta je weer open voor een nieuwe relatie. Ook al omdat…'

Op dat moment kwam Rutger binnen. Hij liep rechtstreeks naar de koelkast. 'Hadden jullie nog geen trek in de hapjes? Nou, ik wel!'

'We hadden een nogal serieus gesprek,' zei Joke. 'Babs vroeg zich af of ze ooit nog weer een leuke partner zou krijgen.'

Rutger lachte. 'Hoe dat zo, Babs?'

'Omdat ze grijs is,' zei Joke verontwaardigd.

Opeens gierden ze alledrie van het lachen.

Babs had de volgende avond pas een late trein naar huis. Buiten was het stikdonker. Nu was de coupé wel op een paar plaatsen na vol. Ze had niets te lezen bij zich en om niet steeds naar haar medepassagiers te kijken, sloot ze haar ogen.

Haar gedachten dwaalden. Van alles over Joke en Rutger passeerde, en ook schoot haar zomaar weer het een en ander te binnen van Helmut en Frederike.

Ze mijmerde over de jongens, dacht aan de familieleden van

Ted, met wie ze nooit echt contact hadden gehad en realiseerde zich dat Ted en zij geen gezamenlijke intieme vrienden hadden.

Wel hadden ze veel kennissen. Die waren nu allemaal wel op de hoogte van hun scheiding, voor zover ze hun mailadressen had, net als de oud-collega's van de receptie. Haar toekomstige werkgevers hoefden niets te weten. Ze ging vijf dagen van negen tot vier voor ze werken, of ze nu getrouwd of gescheiden was. Punt, uit.

Ted zou niets hebben gezien in een vriendschap met Helmut en Frederike. Veel te ingewikkeld om Duits te praten. Terwijl zij dat nu juist wel leuk vond. Trouwens, die twee wilden Nederlands leren. Ze waren geen toeristen, zoals zij had gedacht, ze waren in Amsterdam komen wonen. Hij werkte in Zwitserland bij een multinational en was net naar de Nederlandse vestiging overgeplaatst. Frederike zocht een baan in de toeristische hoek.

Leuk dat zij ze een beetje wegwijs kon maken met dagelijkse dingen. Ze waren helemaal niet zo *high brow* zoals zij ze in de brasserie had ingeschat. En dat gezellige en intieme van hen dat kwam omdat ze er nogal gelukkig mee waren dat ze door hun verhuizing letterlijk op flinke afstand waren van zijn familie en haar gescheiden en nog altijd bekvechtende ouders.

Bekvechten, dat moet niet, dacht Babs.

'Mensen kunnen uit elkaar groeien, ook al doordat we veel ouder worden dan een eeuw geleden en er zo oneindig veel meer ontwikkelingsmogelijkheden zijn dan toen. Niet iedereen is als vijftiger nog dezelfde persoon als toen hij twintig was. Dat moet je durven onderkennen. Daar hoef je je niet voor te schamen.'

Dat waren Rutgers woorden. En Joke had opgemerkt dat het niet gezegd was dat zij en Jan nog altijd bij elkaar zouden zijn. Hij kon bijvoorbeeld nogal laatdunkend praten over kunstenaars. Bij hem had ze het type van de verpleegster moeten blijven. Maar zou de bom dan niet gebarsten zijn?

Peinzend had Rutger daarmee ingestemd. Zijn vrouw zou nooit akkoord zijn gegaan met de bed and breakfast. Statusbewust als ze was, vond ze dat ongetwijfeld een afgang na hun glorievolle jaren met het hotel. Trouwens, als ze was blijven leven zouden ze er wat aan hebben moeten doen om hun relatie soepeler te krijgen. Daar schortte het op een bepaald moment nogal aan. Of het nu kwam door de toen waarschijnlijk al sluimerende ziekte van zijn vrouw? Hoe dan ook, het liep bepaald stroef destijds. Hij kon toen in elk geval de juiste woorden niet vinden en niet precies zeggen wat hij bedoelde.

Precies, dacht Babs nu. Dat had ik door mijn jaloezie. Wat luchtte het op om die op te biechten. Pas door de ontspanning erna kon ik vrijuit over Ted en mij praten, daarvóór hield ik afstand en benaderde ik het nogal verstandelijk.

Nu had ze verdrietig kunnen zijn. Het was verdikkie toch ooit haar vaste idee geweest om met Ted oud te worden. Dat zij samen een vaste thuisbasis zouden blijven voor hun jongens.

De conducteur stapte de coupé binnen. Er was hilariteit door een brutale meid zonder kaartje. De coupégenoten raakten met elkaar in gesprek. Aan de felverlichte bedrijventerreinen te zien naderden ze Amsterdam. Babs controleerde haar spullen. Haar tas zou ze nooit meer vergeten! Ze pakte er alvast de huissleutel uit. Want tja, er was niemand thuis om haar open te doen…

Maar er was wél iemand thuis. In de huiskamer brandde volop licht. Zodra Babs dat zag begon haar hart wild te bonzen. Moest ze meteen de politie bellen? Voor alle zekerheid zette ze haar fiets niet op slot. Ze moest kunnen vluchten.

Zelf de deur openen durfde ze niet. Met een trillende wijsvinger drukte ze de huisbel in. Als die engerd van een inbreker nu maar vluchtte! Voor haar part met alles wat van zijn gading was. Via het slaapkamerbalkon en de dakgoot langs het buurhuis kon hij ongezien weg. Ze keek die kant op en schrok toen de voordeur openzwaaide.

Oog in oog stond ze met haar eigen man. Ex-man natuurlijk.

'Goeie hemel, ben jij het,' kreunde ze. 'Ik schrok me te pletter omdat er licht brandde. Een inbreker… Ik dacht als ik nu aanbel, vlucht hij wel.'

'Een inbreker doet het licht niet aan,' zei hij. 'Kom erin.'

'Dat lijkt me ook,' zei ze opeens pinnig. 'Eerst mijn fiets op slot zetten.'

Hij wachtte in de deuropening.

'Ik schrok me rot,' zei ze nogmaals. 'Mijn hart klopt nog in mijn keel. Maar wat doe jij hier eigenlijk? Wat heb je hier te zoeken? Je woont toch bij die…'

Ze stokte toen ze behalve zijn favoriete designers luie stoel een uitdragerij in de gang zag aan kratten, plastic draagtassen, kartonnen dozen, hun oude reiskoffer, een computermonitor, de geluidsinstallatie, de belachelijk grote geluidsboxen en een paar uitpuilende sporttassen.

'Nee, hè…' bracht ze uit. 'Je gaat me toch niet vertellen dat je weer hier in trekt?'

Hij keek haar kwaad aan. 'Het ging niet,' zei hij. 'Ik werd er gek, vertrok gisternacht en moet onderdak hebben. Je nam niet op toen ik belde.'

'Ik heb een mobieltje, hoor.'

Vanuit de keuken snerpte akelig scherp de fluitketel. 'Het water kookt,' zei hij. 'Het is voor een sodabad, ik heb een ontstoken vinger door een splinter. Dat verdomde gesjouw ook. Voorts stel ik voor dat we het huis verdelen. Allebei een helft. Ik eet wel in het bedrijfsrestaurant. En de badkamer… Hé, wat ga je in de keuken doen?'

'Een kop thee voor mezelf maken.'

'Van mijn water?'

'Ja, van jouw water.'

11

'Wát zeg je?' Babs schoot overeind uit haar stoel. Ze bloosde ervan. Weg was het vermoeide gevoel van daarnet door het spitsroedenlopen om zo netjes mogelijk aan Arthur en Fietje te vertellen dat Ted weer thuis woonde en dat ze *not amused* was over het feit dat hij de verkoopopdracht aan de makelaar had ingetrokken.

Ademen kostte opeens geen moeite meer, haar ogen fonkelden en ze klapte zelfs in haar handen. 'Je belde net met je tante Hannelore en ik kan een paar maanden wonen in haar appartementje in Nice? Fietje, lieverd, hoe kan dat nou? Vertel op!'

'Stel je er niet teveel van voor, hoor,' remde haar schoondochter haar af. 'Het is een gewone flat met amper uitzicht op zee. Tante woont er omdat ze daar minder last heeft van haar astma. Daarom gaat ze in de wintermaanden altijd naar haar dochter op Sicilië, mijn nicht dus, terwijl het dan nota bene ook nog heerlijk is in Nice. Maar op Sicilië is het natuurlijk nog veel en veel mooier en warmer en droger en wat al niet meer. Wij noemen die nicht altijd Maffiosi, ze heet Magda, maar goed, tante gaat er al in oktober heen omdat Maffiosi dan jarig is, en blijft er zolang ze het weer in Nice pet vindt, en dat is tot februari.'

Babs kon nauwelijks goed luisteren. Een paar maanden wonen in Nice. Ongelooflijk, ze kon wég uit dat halve huis met in alle hoeken en gaten de schaduw van Ted. Hij hing er hele dagen rond zonder een poot uit te steken. Lekker makkelijk, hij had zich ziek gemeld – om bij te komen. Al zijn troep op de geluidsinstallatie na stond nog in de gang, en net als zij in de keuken aan de slag wilde, las hij er hardop het bereidingsadvies van een diepvriesmaaltijd, kennelijk in de hoop dat zij aanbood dat hij mee kon eten.

Stommerd, dacht ze dan weerspannig, had je er dan ook eens in verdiept, jij die altijd maar in die stoel van je hing, dan hoefde je nu niet te stuntelen. En toch kookte ze dan maar weer een keer voor twee.

Maar ze aten niet samen en voorzover ze praatten, irriteerden ze elkaar. Het was op het randje van ruziën. In een soort van gewapende vrede wisselden ze mededelingen uit. Zonder fut of spirit, zoals ze het op de fietsdag tegen Joke uitdrukte. Toen raakte of schuurde hun omgang niet.

Nu des te meer. Vooral omdat Ted opeens nogal puberale oprispingen had, zoals idioot hard muziek draaien of overdag lamlendig voor de tv hangen. Hij op zijn beurt duidde haar irritatie over die dingen als een gevolg van de overgang.

De overgang?!

Ziedend smeet ze de keukendeur achter zich dicht. In de stilte na zo'n storm realiseerde ze zich dat het nu echt over was. Er was geen goodwill meer. Een van hen moest het huis uit om niet van kwaad tot erger te raken. Want constant bekvechten wilde ze absoluut niet.

Daarom had ze daarnet zo haar best gedaan om Arthur en Fietje netjes te zeggen hoe de zaken ervoor stonden. Dat Ted wilde dat zíj andere woonruimte zocht en dat hij haar te zijner tijd de helft van de waarde van het huis uitkeerde. Maar de verkoop ging hij niet overhaasten, over de aanvankelijke makelaar was hij niet tevreden en een goede vinden kostte tijd, plus…

Natuurlijk had er irritatie in haar stem geklonken. Waarop Fietje onder het mom van koffiezetten naar de keuken was verdwenen. En toen ontsnapte het Babs toch dat ze het vreselijk vond dat het haar niet lukte om naar hartelust te profiteren van dit vrije halfjaar. Dat de rust in haar hoofd ontbrak om te doen wat ze zich had voorgenomen. Relaxen. Zich oriënteren op haar nieuwe werk, misschien er een cursus voor doen. Maar dat ze zich nu misschien bij een uitzendbureau ging aanmelden om maar niet steeds thuis te hoeven zijn.

Op dat moment was Fietje met de koffie binnengekomen en had ze haar verhaal over tante Hannelore en de flat gedaan.

'Begrijp ik het goed, Fietje?' vroeg Babs nu bepaald opgetogen, terwijl ze ophield met heen en weer lopen, haar koffiekop neerzette en op de bank neerplofte. 'Jouw tante Hannelore wil haar eigen zoon niet in haar flat hebben. Toch ziet ze liever dat die bewoond wordt vanwege de planten en…'

'Nee,' zei Fietje geduldig. 'Het zit anders. Maar eerst…' Ze schonk opnieuw in uit de thermoskan en probeerde de scheefzitten-de deksel los te krijgen van de trommel met koekjes.

'Haar zóón in Nederland is tegen verhuren aan vreemden. Zijzelf wil haar ándere dochter er niet in hebben. Ook een nicht van mij dus, ook in Nederland. Eerlijk gezegd is dat een ontzettend vervelend mens met veel poeha. Ze heet Bettie, maar noemt zich Albertina. Intussen had ze vorig jaar zo'n smerige puinhoop gemaakt van dat flatje dat...'

De deksel schoot los, een paar koekjes sprongen het vloerkleed op en een paar kwamen op Babs' schoot terecht. 'Die Bettie is een viespeuk,' legde Fietje uit. 'Ze liet alles achter haar kont slingeren. Al die maanden had ze niet schoongemaakt. Geen poot uitgestoken, de wanden van de magnetron dropen van de smerige resten en in de badkamer groeide de schimmel op de voegen van de tegels. En dat voor mijn tante met haar astma.' Ze raapte de gevallen koekjes op en mikte ze in de prullenmand.

'Dus toen ik jouw verhaal hoorde, dacht ik meteen aan tante. Ze is er blij mee, want ze lag 's nachts wakker, omdat ze bang was dat die dochter erachter kwam dat de flat onbewoond zou zijn. Tante waarschuwt wel dat het weer er dan niet op z'n best is. Vaak is het maar zo'n twaalf graden en er is ook best veel onweer en regen.'

'Dat zal mij een zorg zijn. Een paar maanden naar Nice... Hoe bestaat het!'

'En omdat ze zelf groene vingers heeft,' ging Fietje verder, 'hoopt ze dat je je best doet en dat de planten er mooi bij staan als ze terugkomt.'

'Reken maar.'

'Je doet het dus?' vroeg Fietje.

Wat een vraag!

Als er een wenkend toekomstperspectief is, vliegt de tijd voorbij. Logisch dat Babs opeens veel te doen had. Een echtscheidingspro-cedure in gang zetten. Een laptop kopen om te kunnen mailen en de cursusopdrachten te schrijven. Financiën op orde brengen. Mensen vragen om haar op geschikte woonruimte te attenderen voor als ze terugkwam. Hun huis laten taxeren.

Was ze nu een haaibaai? Het mocht wat.

Tante Hannelore kwam trouwens altijd vóór ze naar Sicilië vertrok een paar dagen naar Nederland omdat dan haar zoon jarig was. Of Babs naar Schiphol kon komen om kennis te maken? Natuurlijk kon ze dat. Ze spraken af in een van de restaurants.

De zoon liet haar een schriftelijke huurovereenkomst tekenen. Hij stak een verhaal af over verzekeringen en aansprakelijkheid en adviseerde Babs om vroegtijdig een huurauto te reserveren, dat scheelde een hoop geld.

'Dat zie ik allemaal wel,' zei ze luchtig. 'Ik ben bekend met het huren van auto's. Hier in Amsterdam is een eigen auto namelijk niet zo praktisch.'

Hij keek haar vaderlijk streng aan in z'n donkere zakenpak met vest, zo jong als hij was. Ook Hannelore was stemmig gekleed in een marineblauw mantelpak.

'Hebt u de flat klassiek ingericht?' liet Babs zich daardoor ontvallen.

Op zo'n vraag had Hannelore gerekend. Ze had foto's meegebracht. Ze lagen op volgorde, van buiten het gebouw naar binnen. Eerst kwam de gemeenschappelijke tuin met zitbanken en palmen, dan de entree met een conciërgehokje naar het uitzicht vanaf de galerij, tussen twee andere flatgebouwen door, op zee. Vervolgens foto's van de hal achter de voordeur, rechtdoor naar de slaapkamer met balkon aan de zeezijde. Weer terug in de hal naar links voor de keuken en naar rechts, via een korte zijgang, voor de twee kleine kamers aan de galerijkant. Opnieuw terug naar de hal en dan de tweede deur links voor de badkamer en de deur voorbij de zijgang naar de huiskamer. Overal stonden planten. Met roze bloemen, blauwe bloemen, witte bloemen en gele bloemen. En brandschoon moest het er zijn. De schitteringen spatten van de foto's af. De zee zag azuur, de badkamer wit en de inrichting voornamelijk ouderwets bordeauxrood.

De andere bewoners van het gebouw waren behulpzame aardige mensen. Engelsen, nog een Nederlandse weduwe, maar die was er zelden, en verder Fransen.

Om de hoek was de bakker, er waren markthallen op het plein

achter de flat verderop, waar een zaak was met Hollandse planten en een goedkope *supermarché* en...

Met een waterval van woorden legde Hannelore het een na het ander uit. Dat de man van de conciërge geraadpleegd kon worden voor technische dingen, waarvoor ze de staafmixer gebruikte en waar de naaimachine stond. Zelfs dat er in hun gebouw een flat ter beschikking stond aan heren of dames die een gastdocentschap van drie maanden aan de universiteit... of was het hogeschool... enzovoort, enzovoort. De zoon was toen verderop in het restaurant gaan zitten om er wat zakelijke telefoontjes te plegen.

'Zo, dan ben je een klein beetje op de hoogte,' besloot Hannelore. 'Maar,' ging ze in één adem door, 'hoe is het met Fietje? Ze zei dat je heel netjes bent in huis. Verzorgd, zei ze, je bent een verzorgd type, en dat geloof ik ook nu ik je voor me zie. Je hebt zeker een goede kapper? Hoe vind jij dat geblondeerde van Fietje? Je houdt vast niet van geverfd haar, hè? Dat grijs staat je goed, vooral met die oorbellen met grijze parels, zijn het parels? Leuk hoor. Je huid ziet er fris uit. Ja, als je voldoende zuurstof binnenkrijgt, wat wil je dan ook. En je doet niet aan de lijn? Ik bedoel, die schwarzwalderkirschtaart is een calorieënbom van jewelste. Of neem je dat alleen bij uitzondering? Ik ben te mager, ik weet het, maar dat komt door mijn astma, of eigenlijk door de medicijnen. Ik heb trouwens ook aanleg voor reuma en artrose, en dan is het absoluut verkeerd om te zwaar te zijn.'

Babs slaakte een diepe zucht om weer op adem te komen toen ze eindelijk op de roltrap stond naar de treinen. Ze trok haar schoudertas met de kopie van de overeenkomst dicht tegen zich aan. Hoe bestaat het, dacht ze, ik ga wonen met uitzicht op een azuren zee.

Op een middag keek ze op zoek naar een adres een map door waarin allerlei uitgeknipte adressen en visitekaartjes. Stomverbaasd vond ze een visitekaartje van Stan de Houtman. Onbestaanbaar! Dat kaartje had ze toch verscheurd? Ze wist het voor honderd procent zeker, want er was een dikke traan op gedrupt, wat ze nog heel zielig had gevonden en waardoor ze enorm had moeten huilen.

Er ging haar een lichtje op. Wat ze verscheurd had, was het visitekaartje uit haar agenda… Dat er ook een in deze map zat, wist ze helemaal niet – en dat was maar goed ook.

Ze las en herlas het. Behalve zijn naam en vakgebied stond er een mobiel telefoonnummer op en een emailadres bij een inmiddels opgedoekte provider.

Ze dacht even na en sloeg toen toch maar het telefoonnummer op in haar mobieltje; ze aarzelde of ze het visitekaartje alsnog moest wegdoen. Ze bekeek het nogmaals. Had ze het nummer nu wel goed overgenomen? Het klopte. Alleen stond er niet het symbooltje van een mobiel nummer voor, maar van een vaste lijn. Alsof dat iets uitmaakte! Toch klikte ze op het knopje *opties*.

Hoorde ze daar de gangdeur? Kwam Ted? Met haar vrije hand klapte ze de map dicht. Hij had niets te maken met…

'De Houtman,' hoorde ze opeens uit het toestelletje in haar hand komen. Verbijsterd bracht ze het naar haar oor. Ze moest op het groene toetsje voor *bellen* hebben gedrukt in plaats van op dat erboven van de opties!

'Sorry, excuses, met Babs Vierhoef,' stamelde ze. 'Sorry, wat stom, dit is een vergissing.'

'Babs Vierhoef?' klonk zijn basstem. 'Hé… Babs! Wat leuk!'

Wat moest ze in godsnaam zeggen? En verdorie, het was inderdaad Ted die door de gang naar de keuken liep. Ze stond op en sloot de deur.

'Dat was destijds bij de krant…' hoorde ze in haar telefoontje. 'Er is daar nogal rigoureus in het personeel gesneden, hè?'

'Zeg dat,' bracht ze uit. 'Maar ik heb een nieuwe baan. Dat is helemaal in kannen en kruiken. Pas in het nieuwe jaar, hoor. Ik was nu adressen aan het checken, want ik ga naar Nice, en stom, ik drukte per ongeluk op…'

'Wát zeg je, naar Nice?! Nee maar, daar ben ik half oktober ook.' Hij klonk stomverbaasd. 'Wat toevallig. Ik ga naar een natuurgebied ten noorden van Nice. Met een vriendengroep. Dat zit zo, elk jaar in de herfstvakantie lopen we ergens een meerdaagse tocht. En dit jaar kozen we… Wat een toeval! Hé, wanneer vlieg jij? Of ga je met de auto?'

12

Het was heerlijk toeven in de gemeenschappelijke tuin van het flat-gebouw met palmen en platanen, vooral na de ontdekkingstochten die Babs de eerste dagen in Nice steeds weer ondernam omdat ze te onrustig was om lang achter elkaar in het appartement te blijven.

Ze toerde rond in een toeristenbus, bezocht natuurlijk de bloe-menmarkt, ontdekte in een smal straatje met kleine winkels een zaakje met alleen maar oorbellen, waaraan ze zich dan ook te bui-ten ging, wandelde langs de oude haven en zag verderop een cruise-schip afmeren.

Aan de Engelsen, die graag in de tuin vertoefden, deed ze ver-slag. Zij op hun beurt vertelden van alles over meer praktische din-gen als waar de beste taartbakker was. De Fransen zaten er zelden. Die dronken liever een *rouge* of *blanc* in of buiten de *bar-tabac* om de hoek, in de straat van die goede taartbakker en de goedkope su-permarkt van tante Hannelore.

Dat vertelde de conciërge, een vrouw van Babs' leeftijd, die erg ingenomen was met haar portiersfunctie omdat ze intussen kon studeren. Pedagogiek, universitair, het was al heel lang haar grote wens. Nog twee jaar, dan was ze klaar, mede dankzij de grote hulp-vaardigheid van haar man, die behalve technisch ook huishoudelijk aangelegd was, eerlijk is eerlijk.

Als Babs tenminste haar rappe Frans goed begrepen had... Haar hoofd tolde af en toe van al die nieuwe klanken, en eigenlijk snapte ze niets, maar dan ook *absolument rien* van de folder over internet die ze bij het postkantoor had opgehaald. Terwijl het een levens-voorwaarde was om te kunnen mailen! *'Avec mes trois fils,'* zei ze tegen de conciërge, en ze wees boven haar hoofd aan hoe lang ze waren.

De conciërge was onmiddellijk gaan bellen en de volgende dag was ze door simpelweg een nieuw telefoonkabeltje tussen de laptop en het telefooncontact pardoes online.

Tussen al dat soort akkefietjes door stond ze in die eerste da- gen vaak even vanaf de galerij naar de zee te kijken. Het was geen droom maar echt, ze stond hier toch maar! Net als het echt was dat ze over drie dagen 's avonds samen met Stan de Houtman zou eten in een door haar nog te kiezen restaurantje. Dat hadden ze echt afgesproken op die middag in Nederland toen ze hem per ongeluk belde.

Was dat echt waar?

Ja, hier in Nice zal ik hem terugzien, dacht ze dan. Het is echt waar. Net zo echt als deze aangename en eigenlijk nog wel zwoele wind op mijn gezicht. Net zo waar als de azuren zee die ik voor me zie.

Er was trouwens veel meer van de zee te zien dan ze had gedacht, doordat er flink wat ruimte was tussen de twee flatgebouwen in het uitzicht. De wind die ertussendoor warrelde, bracht zelfs zeegeuren naar de galerij.

En steeds maar weer ging het door haar gedachten dat ze Stan ging ontmoeten. De ene keer vervulde haar dat met verwondering, de andere keer was ze gewoon nieuwsgierig en soms merkte ze dat ze een beetje zenuwachtig werd bij de gedachte, alsof het om een sollicitatiegesprek ging.

Intussen probeerde ze thuis te raken in het nogal volgepakte ap- partement en de rommelige woonwijk, en om niet steeds te schrik- ken van de schicht die ze telkens in de flat zag bij het zijgangetje, maar die ze zelf was, in de spiegelwand aan het eind ervan.

Volgepakt was het er inderdaad. Alleen al de werkkast stond af- geladen vol met spullen, waaronder de naaimachine waarover Han- nelore had verteld. Geen oud kavalje maar een heel modern ding dat alles kon, van automatisch knoopsgaten maken en borduren tot elastische naden stikken in rekbare stoffen en naden locken, en met een Nederlandse handleiding.

Er stond ook een naaibox vol fournituren in die kast. Vandaar al die schattige servetten, placemats, tafelkleden, sierkussens, keuken- gordijnen en dekbedhoezen van voornamelijk bordeauxrode Pro- vençaalse stoffen. Tante Hannelore naaide ze zelf!

En dan de keuken. Diverse espressopotjes stonden er, die je moest omkeren als het water erin kookte, en ettelijke kurkentrekkers, dunschillers, karaffen, pizzaborden, citroenknijpers en wijnglazen. Zo ging het maar door met de ontdekkingen en het op adem komen op de galerij, want wat was het fantastisch dat het in oktober 23 graden was en dat het eigenlijk te warm werd in de woonkamer omdat ze de luiken niet wilde sluiten.

Maar meubels en gordijnen verschieten van kleur door het zonlicht, waarschuwden de Engelsen. Waardoor ze een paar *grands foulards* kocht in een winkel met prachtige meubelstoffen en kussenhoezen, en mini kamerschermpjes om de planten wat schaduw te geven.

Over een paar dagen zie ik Stan, dacht ze dan weer, waarna ze zichzelf meteen weer waarschuwde dat het gruwelijk kon tegenvallen.

'Vergeet niet dat het inmiddels drie jaar geleden is,' zei ze dan hardop. Ze had het in oude agenda's opgezocht. 'Bovendien is dit voor de grap. Omdat we allebei toevallig in Nice zijn. En omdat het gezelliger is om samen met iemand te eten. Je moet je er niet teveel van voorstellen.'

Maar dat deed ze natuurlijk toch.

Hij zal intussen een partner hebben, dacht ze dan weer, als ze bijvoorbeeld een stukje over het kiezelstrand liep of een verkennende rit met een stadsbus maakte. Gepieker plaagde haar ook tijdens het mailen, want in die eerste dagen voelde ze zich toch ontheemd en ontspande het haar om over haar belevenissen te babbelen tegen Joke, Fietje of Chantal. Ook aan Arthur, Bastiaan en Casper had ze heel wat te vertellen.

Ik ga Stan weer ontmoeten, schoot het dan zomaar weer door haar heen. Het was toch wel heel speciaal dat ze het toen de normaalste zaak van de wereld had gevonden om uit zichzelf haar hoofd tegen zijn schouder te gaan leggen in de wetenschap dat ze elkaar na een poosje zouden gaan kussen. Gewoon, dat was in één klap duidelijk, omdat ze bij elkaar hoorden.

Pas op dat je niet weer verliefd op hem wordt, dacht ze dan meteen. Ook bijvoorbeeld toen ze in wéér een nieuw cafeetje wachtte op de espresso, omdat ze het allerleukste cafeetje in haar buurt wilde ontdekken.

Het moest toen louter seksuele aantrekkingskracht zijn geweest, dacht ze, nippend aan het minikopje met hete, sterke koffie. Want liefde op het eerste gezicht bestaat niet, dat weet je als je een beetje logisch nadenkt. Liefde ontstaat pas als je ondanks alle negatieve eigenschappen van de ander hem of haar toch een warm hart toedraagt, en dat kost járen.

Zou Stan trouwens nog steeds zo energiek zijn? Vast wel. Anders zou hij geen meerdaagse wandeltocht maken. Maar drie jaar was op hun leeftijd niet niks. In drie jaar kon hij grijs of kaal geworden zijn. Zelf was ze er in elk geval niet beter op geworden.

O nee, zo mocht ze niet denken van Joke. Maar het gedonder met Ted, de emoties en de drukte van het vertrek – Hé, dat wist Stan natuurlijk niet…

Een groepje hippe meiden in korte rokjes passeerde het cafeetje. Of meiden, ze waren van dezelfde leeftijd als Fietje en Chantal. Maar die droegen lage spijkerbroeken met brede riemen, geen rokjes.

Toen ze die paar keer lunchte met Stan droeg zijzelf trouwens ook rokjes, die leuk vrouwelijk waren. Dat was toen mode, en achter de balie moest je representatief en modieus gekleed gaan. Nu droeg je juist weer broeken.

Nog een paar dagen, dacht ze thuis, toen ze zich kritisch monsterde in de glasheldere spiegel van de blinkende badkamer. Ze zou een haarmasker kunnen nemen. En 's avonds die turquoise pashmina over haar schouders kunnen slaan uit het rek op de stoep naast de winkel van de kussens en grands foulards. Turquoise flatteerde haar, en zo'n enorme sjaal verdoezelde veel. En als ze nu de komende dagen wat met haar gezicht in de zon zat, viel het misschien wel mee.

Hoe zal het zijn, dacht ze voor de zoveelste keer, toen net ergens in huis haar mobieltje piepte. Ze rende om het op te pakken. Tienduizend belevenissen wilde ze kwijt!

Het was Joke. 'Wat heerlijk dat je belt. Je bent een echte vriendin. Je voelde natuurlijk dat ik een heleboel te vertellen heb.'

'Maar ik eerst even snel, daarna mag jij zolang als je wilt. Ik ben vier kilo afgevallen. Vier kilo! En niet door een dieet, maar heel gewoon door voor de maaltijd goed na te denken waar ik trek in heb, daar een normale portie van te nemen en van niets maar dan ook niets anders. Nou, dat andere blief je dan ook niet, Babs, want je bent zo heerlijk tevreden met wat je proefde en met wat er in je maag zit. Niet te geloven, maar helemaal waar. Rutger is daardoor op z'n gezonde gewicht gekomen, hij is vroeger ook nogal zwaar geweest. En ik hou voor ogen hoe ik eruit zal zien in een maatje 46, want 42 is natuurlijk veel te ambitieus en Rutger vindt... Nou ja, ik kan het iedereen aanraden. Jammer dat jij het niet nodig hebt. Jouw stofwisseling is vast sneller. Of misschien volg jij die eetwijze wel natuurlijkerwijs?'

De dagen leken weken. Dat kwam doordat er zoveel dingen nieuw waren, zoals de weg vinden in haar woonwijk en het oude stadscentrum, achterhalen hoe de tv en de wasautomaat werkten, het bijeensprokkelen van levensmiddelen, het lezen van verpakkingen en gebruiksaanwijzingen, het zoeken op internet hoe je die gekke vleessoorten van de markt en mormels van schaaldieren moest klaarmaken en, niet te vergeten, het checken van de aankomsttijden op vliegveld Nice, dat officieel heel romantisch Nice-Provence-Alpes-Côte d'Azur heet en dat aan de zeezijde van de nog veel romantischer Promenade des Anglais ligt, waar in vroeger eeuwen vorsten en vorstinnen schreden. Ook Babs slenterde daar toch maar rond, met haar gewone Hollandse voeten, en kwam ogen tekort voor de jachten in de haven en sprookjeshotels van de jetset.

Zogenaamd omdat ze zin had in een busritje pikte ze er eentje naar het vliegveld. Ze keek er meteen hoe het er ook alweer precies zat met de *arrivals* en waar je daar eventueel een kop koffie kon drinken. Tjonge jonge, terwijl ze natuurlijk niets hadden afgesproken over ophalen, dat zou belachelijk zijn, maar Babs vond dat ze maar beter te veel dan te weinig voorbereid kon zijn.

Voorts kocht ze in de uitverkoop een vrouwelijk grijsblauw tricot jurkje omdat ze alleen maar broeken meegenomen had, met een kwiek kort turquoise jasje erop dat de kop niet kostte, en hooggehakte touwschoentjes met een turquoise stoffen bloem, prachtig passend bij de pashmina, die stomtoevallig in dezelfde tint was en die ze nu vanzelfsprekend had moeten kopen.

Ze huurde voor een halve middag een zonnebedje bij de enige verhuurinrichting die nog open was, maar er kwam na een halfuur bewolking opzetten. Toch leek ze 's avonds een beetje rozig, toen ze wachtte tot het halve uur voorbij was waarin het haarmasker moest inwerken. Morgenavond, dacht ze. Morgenavond al! Dan zou ze op ditzelfde tijdstip met Stan aan het raamtafeltje achter in die pijpenla van specialiteitenrestaurantje *Mon Manon* zitten dat de Fransen uit haar flatgebouw haar aangeraden hadden vanwege de lekkerste vissoep van de hele stad. Bovendien was het niet duur, maar wel informeel en heel gezellig.

'Mon Manon,' neuriede ze terwijl ze voor de zoveelste keer probeerde met de afstandsbediening de tv aan te zetten. Misschien waren de batterijen leeg. Leeg? Er zaten gewoon geen batterijen in!

'En batterijen is in het Frans *des piles*,' oefende ze. 'Met een lichte *l*, dat zeg je met je tong gekruld en je mondhoeken breed opgetrokken, *l* dus en…'

De keukenwekker ratelde als een gek. 'En uitspoelen is *rincer*,' neuriede ze, 'mon Manon, mon Manon.' Toen ze naar de badkamer liep en haar hand opstak naar de vrouw in badjas met handdoek om het hoofd in de spiegel achter in de zijgang, besefte ze dat ze voor het eerst in lange tijd gelukkig was.

Neuriën deed Babs overigens ook toen ze de volgende avond meer dan twintig minuten voor de afgesproken tijd heen en weer slenterde in een straatje van waaruit ze *Mon Manon* in de gaten kon houden, maar nu om de spanning kwijt te raken.

Zou ze echt straks Stan zien? Eigenlijk kón het niet. Het zou haar niet verwonderen als hij niet kwam opdagen, bijvoorbeeld omdat een van die vrienden eerder gearriveerd was en ze de tijd vergeten waren in de hotelbar. Oké, dat was *all in the game*. Alleen ging ze dan wel een Fransman versieren. Tenslotte keken hier in Nice de mannen wel naar haar, en niet met afkeurende blikken! Ze mocht toch wel eens wat uitproberen?

Er kwam er net een aan, met een pedant loopje en bijbehorend aktetasje. Hij keek, zij keek. Hij trok een veelzeggend mondje.

Getverderrie nee, dacht ze.

Ze checkte voor alle zekerheid of haar mobiel aanstond. Stel dat Stan de naam van de straat niet meer wist. Ze controleerde of haar horloge dezelfde tijd aangaf als de digitale klok bij een garagebedrijf aan het einde van een zijstraat. Ook haalde ze de pashmina uit haar tas tevoorschijn. Ze sloeg hem losjes om, ook al hing er nog warmte in de straatjes, en checkte of haar oorbellen niet aan het draaien waren gegaan.

Was het niet een te mooie avond om binnen te zitten? Was het tentje met terras aan de Promenade misschien beter geweest? Maar het kon volgens de Engelsen ook mistig worden of gaan motregenen. Dat gebeurde zomaar in het najaar. Zelfs had het één keer in hun vijfjarig verblijf in oktober gesneeuwd.

Weer gluurde ze in de richting van *Mon Manon*, weer maakte ze rechtsomkeert. Ze slenterde om een krantenkiosk met schreeuwende loterijaffiches, keek even naar een hondje met korte pootjes, en toen een van die pootjes omhoogging bij een boom, keek ze snel naar de gevel van het woonblok, want het waren hier oudere huizen met mooie raampartijen, koperen naamborden en grote inrijpoorten.

Romantisch, vond ze, vooral door de grote lantaarns die aan weerszijden hingen. Het viel haar niet op dat ze eigenlijk wel heel veel dingen in Nice romantisch vond.

Weer checkte ze de tijd. Ze had nog maar vijf minuten! Ze zette de pas erin en stond een halve minuut later in het restaurant. Haar hart bonsde ervan.

'*J'ai reservé la table à fénêtre, la table à gauche,*' zei ze zo Frans mogelijk tegen de jongen in zwart en wit achter de bar. Terwijl hij met een bloedserieus gezicht door het reserveringsboek bladerde, bekeek ze zichzelf in de spiegelwand tussen de drankflessen achter hem. Ze plukte wat aan haar pony en liet alvast de pashmina van haar schouders glijden.

'Hé, dag Babs!' klonk toen een basstem.

13

Ze bestelden natuurlijk de *bouillabaisse* en dronken rosé uit het achterland. Er liepen steeds meer mensen binnen. De ene na de andere tafel raakte bezet en het was korte tijd later tjokvol in de zaak. Eigenlijk logisch, want het was vrijdagavond. Er waren kennelijk veel vaste klanten, want men groette elkaar uitbundig en het *ça va*, hoe gaat het ermee, was niet van de lucht.

Dat speciale Franse sfeertje maakte dat Babs aan het babbelen sloeg over wat haar frappeerde aan de Fransen, en vooral over de lekkernijen die ze had gezien op de markt en in de winkels. 'Vleessoorten, worsten, vissen en schaaldieren. Allerhande groentes, idioot veel soorten paddestoelen. En tomaten als buitenaardse wezentjes, zo raar knobbelig en hobbelig van vorm. Maar lekker! Dan al die kazen. Ik weet nu al dat ik straks kaas toe neem. Fantastisch zoveel soorten als er zijn. Ik keek mijn ogen uit op de markt. Zelfs de goedkope *supermarché* in ons *quartier* heeft een assortiment dat je in Amsterdam nog niet bij de meest snobistische winkels aantreft. Ach, wat wil je, Frankrijk is zo groot en alle streken, dorpen en zelfs boeren hebben hun eigen specialiteit. Een heerlijk land voor lekkerbekken.'

Ze verbaasde zich erover dat zíj dat allemaal aan het vertellen was, maar het was toch echt zo, en haar toehoorder was Stan de Houtman.

Ze zat hier met hem – de man op wie ze heimelijk verliefd was geweest. Met wie ze toen geen aanloopperiode had hoeven hebben, met etentjes of dagjes samen, om haar hoofd tegen zijn schouder te leggen, hem te kussen. Nu ook niet trouwens, maar ze ging het er natuurlijk niet op toeleggen. Ze wilde niet de scheidende vrouw op de versiertoer zijn. Hoewel ze intussen haar marktwaarde wel wilde weten, want nogmaals, hier in Nice keken de mannen naar haar. Maar hemeltjelief, dat wilde ze niet checken bij Stan, omdat hij zo anders was. Zo leuk ook in z'n shirt, met die mooie trui op de stoel naast hem, en met zijn alerte lach en krullerige haar. Ze kreeg het er warm van en trok haar jasje uit.

'Leuk dat we hier nu zitten,' zei ze.

'Ik herkende je meteen,' zei hij. 'Alleen lijk je jonger dan in mijn herinnering. Je voelt je hier vast prettig. Tja, wie niet? En toen werkte je. In de wandelgangen hoorde je destijds al over bezuinigingen…'

Ze knikte instemmend. 'Voor ons was er steeds minder kantoorwerk te doen als gevolg van automatisering. We konden het wel af met één man minder. Die wetenschap maakte iedereen onrustig.'

Er scheerde een serveerster langs hun tafel met een plateau met kazen hoog boven haar schouder. 'Behalve die honderden kaassoorten zijn er natuurlijk ook de ontelbare wijnen,' zei Babs. 'Ja, ja, *les vins et fromages de France.*

Alsof hij dat niet weet, dacht ze. Maar als we doorpraten over de krant, komt het gesprek door de verslechterende sfeer daar vast ook op Ted. Ik kan toch niet nu meteen al zeggen dat we gaan scheiden? Ontslag en scheiden, het is me een pakket. Straks zeg ik nog dat ik er hier zoveel beter uitzie omdat ik even van die man verlost ben. Lekker negatief onderwerp voor een etentje.

Ze tilde de roséfles op en keek even op het etiket. 'Thuis heb ik ook een paar flessen streekwijn,' zei ze terwijl ze de fles alweer neerzette. 'Meteen maar gekocht. Daarbij het advies van de conciërge van het flatgebouw opgevolgd. Leuk én handig zo'n conciërge, ze is mijn vraagbaak en…'

Ze keek op en zag de lach in zijn ogen. Het zou naar haar gevoel helemaal niet gek zijn als hij haar over tafel heen een kus zou geven. Trouwens, ze hoefden daarvoor helemaal niet zo ver over te buigen, het tafeltje was piepklein.

Ophouden, waarschuwde ze zichzelf.

Maar nu mag het, sputterde ze tegen. Nu mag ik genieten. Ik ben vrij.

En hij dan? Waarom zou hij niet gebonden zijn? Dacht je nu heus dat zo'n leuke vent niet al honderd keer aan de haak geslagen is?

'Jij bent eigenlijk ook niets veranderd,' zei ze. 'Je bent nog altijd sportief en slank.'

'Maar grijzer.'

'Dat is bij dit licht niet te zien.'

Als je elkaar over tafel heen wilde kussen, moest je wel goed oppassen dat je de wijnfles en de enorme karaf water niet omstootte. 'Voldoende water voor een weeshuis,' zei ze met een lachje. Ze zette de omgekeerde waterglazen rechtop en schonk ze vol. 'Wil je ook een stuk brood? Water en brood. Fransen kunnen niet zonder.'

Ze brak het af en reikte hem een stuk aan.

'Waarom ben je eigenlijk voor zo'n lange tijd in Nice?' vroeg hij.

Ze stopte snel het stuk brood in haar mond. Hij wachtte rustig op haar antwoord.

Wat moet dat moet, dacht ze, maar ik zal het kort houden. 'Ik had op korte termijn woonruimte nodig,' zei ze.

'O ja?'

'We zijn aan het scheiden.'

Heel even bleef het stil. 'En je kunt niet in jullie huis blijven wonen?'

'Hij kwam terug. Hij was eerst weggegaan, zie je.'

Weer bleef het even stil. 'En je zoons…'

'Die zijn allang het huis uit. Heb jij eigenlijk kinderen?'

'Een zoon en een dochter.'

'Ook het huis uit?'

Hij knikte bevestigend. 'Hero werkt bij een internetbedrijf in India. Hij leidt er mensen op tot programmeur. En Hester is hostess bij een reisorganisatie in Spanje.'

'Zo, die zitten allebei ver weg.'

Hij lachte. 'Ze behoren tot de generatie die de wereld kent zoals wij dat met Europa hadden.'

'En onze ouders met Nederland.'

'Of hoogstens de Benelux.'

'Jullie mailen zeker ook?'

'Net als jij kennelijk?'

'Precies.' Ze vertelde wat over de jongens, maar eigenlijk had ze willen vragen of hij weer een relatie had. 'Woon je eigenlijk nog altijd in Amsterdam?'

Hij knikte.

Opeens stonden er twee borden met kolossale soepkommen erop voor hun neus, en een bordje waarop twee tangetjes en twee minuscule vorkjes met twee tanden. De geur van schaaldieren en kruiderij spatte ervanaf.

'*Du bouillabaisse. Bon appétit, madame et monsieur.*'

'Dat belooft wat,' zei ze grinnikend met een blik op het gereedschap.

'Het bestek veronderstelt zelfwerkzaamheid,' zei hij op hetzelfde moment.

Ze lachten en proefden.

'Heerlijk,' zeiden ze eensgezind.

'Iets anders, hoe zit het intussen met je werk?' vroeg Babs.

'Is dat appartement een beetje in orde?' vroeg Stan tegelijk.

Ze schoten in de lach.

'Om de beurt,' zei Babs.

'Oké. Jij eerst.'

'Nee, want ik ben al steeds aan het woord.'

'Logisch, omdat we in Frankrijk zijn. Dan praat je over Franse dingen,' vond hij. 'Dus jij eerst.'

Ze viste een schelpje uit haar soep, pakte het met een tangetje en prikte met het piepkleine vorkje het stukje visvlees eruit. Het smaakte lekker. 'Deze diertjes waren ook op de markt te koop,' zei ze. 'Of het appartement oké is...'

Ze vertelde. Wat dat betreft had ze gespreksstof genoeg.

'Nu jij.'

'Je zei door de telefoon nog iets over een cursus korte verhalen schrijven.'

'Heel even dan nog... Het is een schriftelijke cursus. Gewoon als hobby. Aanwijzingen en opdrachten. Voor een spannend verhaal, romantisch verhaal, autobiografisch verhaal, enzovoort. Nu ben ik aan een kinderverhaal bezig. Allerlei technische aanwijzingen, zoals de tijd waarin je schrijft, of de eerste of derde persoon. Je weet wel. Eerlijk gezegd doe ik dit een beetje onder invloed van de krant, vanuit het idee dat het leuk is om ook zelf te kunnen schrijven. Voor

schilderen heb ik geen aanleg, dat merkte ik door een vriendin...
Maar jij, werk je nog steeds mee aan leerboeken en vakbladen? Of
freelance je lekker als vrije vogel? En red je het een beetje in die
slangenkuil?'

'Dat zijn mijn eigen woorden!'

'Precies.'

'Ik schrijf alleen nog voor de lol. Voor een lerarenblad dat zes
keer per jaar uitkomt. Columns over lesgeven aan middelbare scholieren. Over de natuur.'

'Kreeg je geen voet aan de grond als freelancer?'

Hij lachte opgeruimd. 'Het ging naar omstandigheden eigenlijk
best aardig. Maar het zat zo. Een van de mannen uit de vriendenclub
waarvoor ik nu hier in Nice ben, werkt bij een multinational die in
Nederland een dochterbedrijf ging oprichten op ecologisch gebied.
Of ik ervoor voelde om de boel te gaan invullen. Personeel werven.
Proefsettings opzetten, vervolgens projecten verwerven.'

'Je vond managen toen ook al leuk.'

'Dat je dat nog weet!' Hij speelde met zijn glas en nam een slok.
'Vrije vogel... Ik ben gelukkig wel vrij in mijn aanpak,' grinnikte
hij. 'Als ik er maar voor zorg dat we op termijn winstgevend zijn.'
Hij keek op. 'Nogal anders dus dan de journalistiek. Laat staan als
voor de klas staan...'

'Wat een verandering!'

Nu pakte hij een tangetje en vorkje om in een schelpje te peu-
teren. Hij had stevige handen met verzorgde nagels. En geen ring.
Maar dat zegt niets, dacht Babs. Ted en zij droegen hun trouwringen
al jaren niet meer. Hij omdat hij er eens pijnlijk mee was blijven haken. Zij omdat het gele goud niet paste bij haar andere sieraden, die
afgestemd waren op haar grijze haar.

'Nogal een verandering, zeg dat,' zei Stan. 'Tja, inderdaad is niet
alles te voorzien. Het kan anders lopen. In het kort: we waren net
gescheiden toen mijn vrouw kanker kreeg. Ze is vorige zomer overleden. Toen ze het slechte nieuws kreeg, besloten we dat dat niet
kon: net gescheiden zijn en weten dat je doodgaat. We bleven apart
wonen, maar ik bleef stand-by en soms overnachtte ik daar. Er is

zoveel dat je in zo'n geval niet alleen redt. Alleen al de gesprekken met dokters, en steeds naar het ziekenhuis voor behandelingen...'

Ze zag de frons in zijn voorhoofd.

'Je gaat dan relativeren,' ging hij door. 'Dat gold voor haar weliswaar veel sterker dan voor mij, maar het maakte dat we in elk geval weer redelijk goed met elkaar door één deur konden. We raakten meer op elkaar gericht, ook al omdat veel vrienden en familieleden afhaakten. Je kunt zeggen dat we zelfs weer enigszins op elkaar gesteld raakten.'

Het was even stil.

'Ja, op elkaar gesteld, dat is het wel. We pikten meer van elkaar. Haar ziekte en dood raakten me natuurlijk. Ze was nog te jong. Ook zij had gehoopt op een aardig leven na de scheiding. Ze zag de toekomst open liggen, en vervolgens inktzwart worden. Haar ziekte en dood verwarden me. Vandaar dat na haar overlijden mijn nieuwe werk een geschenk uit de hemel was, het gaf structuur en houvast. En tegelijk... het klinkt cru, maar tegelijk was het een opluchting dat ze door haar overlijden uit mijn leven was. Een rare mix om te verwerken, het kostte tijd, maar het is gelukt. De feiten lagen er en het onverbiddelijke ervan maakte het gek genoeg ook weer gemakkelijk om de draad van mijn eigen leven op te pakken.'

Babs zocht naar woorden maar vond ze niet. Ze moest het van haar mimiek hebben om haar medeleven te tonen.

'Aan jou zag ik meteen al dat het je goed gaat. Vandaar dat jij maar eerst moest vertellen. Dat van mij... c'est la vie.' Hij schonk hun waterglazen bij. 'En daar houden we het op vanavond. Later vertel ik misschien wel meer.'

'Later?' Dat woordje ontsnapte Babs.

Hij keek haar vragend aan. 'Ja toch? Of niet?'

14

Het werd niet eens nachtwerk. Voor Stan was de dag trouwens lang genoeg, omdat hij die ochtend al vroeg had moeten inchecken op Schiphol. Samen liepen ze naar een pleintje met in het midden hoge bomen die op palmen leken. Daar moest hij rechtsaf naar zijn hotel en zij rechtdoor om thuis te komen.

Op dat pleintje praatten ze nog een poosje, geleund tegen het cirkelvormige spijlenhek dat de boomstammen omringde. Er hingen wat opgeschoten jongens en meiden rond, en verderop kwam stemgedruis uit een bar. Alles werd secuur in de gaten gehouden door een dikke vrouw in een tuinstoeltje, die een glas pastis dronk met een sigaartje erbij.

Het was nu echt kil buiten. Babs trok de pashmina dichter om zich heen. Stan schoot de trui aan die los over zijn schouders had gelegen. Als hij zijn arm om haar had heen geslagen, zou ze meteen haar hoofd tegen zijn schouder hebben aangevleid. Maar dat deed hij niet, dus van kussen kwam het ook niet.

Zal ik het initiatief dan maar nemen, vroeg Babs zich af. Tegenwoordig schijnt dat te kunnen. Zelf vond ze dat het geen pas gaf. Helemaal al niet als scheidende vrouw, stel dat hij een nieuwe relatie had. Maar handen schudden was weer te formeel. Wel checkten ze hun telefoonnummers en mailadressen, en keken ze elkaar bij het afscheid glimlachend nogal diep in de ogen.

'Dank je voor de fijne avond,' zei Stan.

'Jíj bedankt,' zei Babs. 'Ik vond het heerlijk.'

Zijn hotel was naar zijn zeggen vlakbij. Je naar huis toe laten brengen was niet meer van deze tijd.

'Dag!' zei ze dan ook. 'Veel plezier met je vrienden!' Ze wuifde nog een keer toen ze vermoedde dat hij rechtsaf sloeg. Ook hij keek om en stak zijn hand op. 'Dag!'

Omdat het zo kil was, stapte ze stevig door. Het was maar een klein stukje. Had ze hem niet moeten uitnodigen voor een wijntje?

En had ze toch niet wat meer moeten laten blijken dat ze hem leuk vond?

Nee, zei ze tegen zichzelf, dan had je eerst op de man af moeten vragen of hij weer een partner heeft. Door dat niet te weten, gedroeg je je keurig. Maar iets anders, wéét jij eigenlijk wel hoe je het had kúnnen aanpakken? Hoe je een man een handreiking geeft om verder te gaan? Hoe je op een spontane manier kunt flirten?

Die zat.

Stan had dus net als Rutger voor zijn vrouw gezorgd, schoot het door Babs heen. Dat moest Joke weten, en wel nú, voor ze aan het korte verhaal ging werken zoals ze zich bij het ontbijt heilig had voorgenomen.

Het werd een ellenlange mail. Veel te lang om even te lezen als je je mailbox checkt. Daarom 'knipte' ze het hele stuk over Stan eruit, en 'plakte' ze dat in een document als bijlage. Zie zo, dat kon Joke lezen als het haar uitkwam. Het eigenlijke berichtje, dat alles goed was in het nog altijd zonnige zuiden, was kort en krachtig.

Voor een Nederlandse was het intussen lang en breed koffietijd en in de espressobar naast de goedkope supermarché, die ze nog niet geprobeerd had, herlas ze de print. Dat had natuurlijk ook thuis gekund, maar ze was nú in Nice en over een paar maanden niet meer, ze moest er nu van profiteren. Het was tenslotte lekker weer, met een zonnetje erbij en bijna 20 graden.

De pashmina kwam goed van pas, het stond Franser dan een regenjas; vrouwelijker en kittiger, misschien kwam dat ook wel door die malle touwschoentjes.

Ze snoof de zoete geur van Franse sigaretten op die buiten op het stoepbrede terrasje gerookt werden, en bestelde alsnog zo'n knapperig vers chocoladebroodje toen haar *café au lait* werd neergezet.

'… want hij landde vrijdagochtend al,' las ze. 'Vandaag ontmoet hij zijn oude studievrienden. Die groep is op twee man na nog steeds compleet, ook al werken er nog maar een paar van in Nederland. Met de auto van een van hen rijden ze dan gelijk door naar het natuurgebied. Niet de Gorges du Verdon, meer naar het noordoosten.

De chauffeur kan de tocht niet meelopen vanwege een geopereerde, maar slecht genezen voetbalknie. Hij woont in Zwitserland, is hierheen gereden en rijdt met alle bagage naar het hotelletje waar hun wandeling van die middag heen leidt.

Op zondag hebben ze dan een zware tocht naar een of ander gehucht, waar weer de auto klaarstaat om met elkaar terug te rijden naar Nice. Daar is nog een afscheidsdiner in het hotel van Stan om te vieren dat ze het ook dit jaar weer gered hebben. Vanwege de alcohol blijven ze daar slapen en breken pas na de lunch op maandag op. En volgend jaar zien ze elkaar normaal gesproken weer, op Stan en nog een man na, die bij hetzelfde bedrijf werken.

Een van de vrienden mailt zelfs niet, hij is een wat stugge conservatief, zegt Stan, en vindt mailen maar niets. Nou, zoals je merkt denk ik daar anders over ☺.'

Grinnikend omdat ze wist wat er allemaal nog meer kwam, hapte ze in het chocoladebroodje. Ze legde de print neer. Eerst het broodje. Het zou doodzonde zijn om de aandacht te verdelen tussen haar eigen woordenbrij en het verrukkelijke luchtige bladerdeeg met de zalige chocoladevulling.

Als je gedachteloos at wist je niet eens dát je gegeten had! Iets wat Joke haar laatst als de ontdekking van de eeuw mailde! Vandaar natuurlijk dat die meid twee gevulde koeken achter elkaar kon opeten.

Ze genoot van het broodje. De *café au lait* was nog te heet. Ze zette de kop terug en las: 'Stan heeft, net als Rutger, voor zijn zieke vrouw gezorgd. Bijzondere mannen, hoor, je hoort toch juist vaak dat de zieke partner in de steek wordt gelaten en...'

Ze sloeg een stukje over.

'... dat je zult vinden dat ik hier opvallend uitgebreid over vertel. Dat klopt. Ik zal je iets opbiechten, Joke. Ik mag het nu zeggen, nu Ted en ik uit elkaar gaan, maar destijds ben ik een beetje verliefd op Stan geweest. Het was afschuwelijk en heerlijk tegelijk, maar het mocht niet, het kon niet, ik wilde ons leven niet overhoop halen. Dus hield ik het tegen.

Ik was er trouwens kapot van, was misselijk, had last van hartkloppingen en duizeligheid, sliep slecht en was bang dat ik een of andere ziekte had, dat ik doodging en mezelf in mijn veel te korte leven niet eens de liefde van mijn leven had gegund. Niet lachen! Want natuurlijk wist ik helemaal niet of het wederzijds was. Alleen dat hij blij was weer vrij man te zijn.

Je snapt nu waarom ik Ted dat slippertje niet kan vergeven. Zo slap vind ik het, en tegelijk... ik kan het tegen jou zeggen, je zult het begrijpen, maar eigenlijk mag ik hem er dankbaar om zijn. Ons huwelijk was nooit zo super. Van mijn kant dan. Van Ted was het meer gemakzucht, denk ik.

Tja, hoe ging het in onze jonge jaren, Joke? Je weet het maar al te goed. Ik vond die lange, kalme slungel van een Ted wel leuk. En hij mij. Hoe wist je nu of je gevoelens écht waren? Zeiden de vrouwenbladen niet dat liefde moest groeien? Of moest je wachten tot er een nog leuker persoon langskwam, van wie je hart op slag ging bonzen?

En dan, je gaat met elkaar rommelen in bed, onhandig gedoe met condooms en later angst dat je zwanger bent. Dat was in die jaren een schande, niet alleen in de tijd van die oude dame Heleen, weet je nog, uit Drenthe. Dus gingen we trouwen.

Je deed je best om er wat van te maken. De jongens werden geboren, ik was gelukkig met de kinderen, en Ted denk ik ook. Maar diep in mijn hart vond ik het zo vlak, zo weinig sprankelend. Wat ik natuurlijk wegduwde en pas toeliet toen de jongens het huis uit waren.

Ja, diep in mijn hart verlangde ik naar 'anders', en Ted misschien ook al heel lang. Wie weet hoeveel verleidingen hij wél heeft weerstaan...

Heb jij trouwens enig idee hoe je vreemdgaan in de praktijk aanpakt? Weet je dat ik niet eens weet hoe je een vreemde man verschalkt? Geen ervaring natuurlijk. Jij ook niet, hè? En om nou het gedrag van soapsterretjes na te apen... Lach niet!

Afijn, nu ik het zo goed heb hier in Nice (Stan zei dat het me is aan te zien!) weet ik dat ik zo'n vergissing als met Ted nooit meer mag maken. Ik snap dan ook goed dat jij je nog niet helemaal verpandt aan Rutger, terwijl een kleuter al bij jullie kennismaking kon zien dat je op slag verliefd op hem was.

We zijn trouwens even oud, Stan en ik. Hij is slank en ietsje langer dan ik, maar ik liep op hoge hakken. Aan welke sport ík deed, vroeg hij. Leuke vraag…

'In de stad fiets en wandel ik veel,' zei ik.

'Maar niet buiten of in de bergen?'

'Nee, hoogstens op het strand als het mooi weer is, en met een vriendin,' antwoordde ik. 'Alleen vind ik dat saai. In de stad is altijd wel iets te zien.'

Dat was hij niet met me eens, Joke. Hij zag miljoenen dingen buiten: plantjes, vogels, kleuren, vergezichten, wolkenluchten. Het telkens veranderende beeld door je eigen vorderingen in het landschap. Eigenlijk zoals jij het ook wel uitdrukte. Wisselende perspectieven, zoiets.

Over kleuren gesproken, wandelend door Nice zie ik ook veel. In de winkels liggen de prachtigste stoffen. Ik ga een rok voor mezelf naaien. Een prachtig asymmetrisch geplooide zag ik in de etalage van een modeontwerper. Die moet na te maken zijn, maar ik wil eerst het kinderverhaal voor de cursus schrijven. Ik ga straks beginnen. Het moet er vóór het eind van de maand zijn! Ze zeggen wel dat je in je eigen tempo mag werken, maar als je langere tijd niets van je laat horen, beginnen ze toch aan je te trekken.

Touwschoentjes kosten hier een habbekrats, net als olijven en Provençaalse kruiden. Op de markt betaal je voor een dikke bos basilicum of koriander… Joh, ik blijf schrijven, kun je hier niet een weekend of langer komen logeren om bij te praten?'

Haar aandacht werd afgeleid door getoeter en keffende hondjes. Een parkeerwachter schreef een boete uit. Hij draaide zich om en keek naar de klok bij het postkantoor aan de overkant. Babs keek onwillekeurig ook. Was het alweer tegen twaalven?!

Ze dronk de laatste slokken koffie en stopte de print in haar tas. Wat zou het enig zijn als Joke echt een paar dagen bij haar logeerde. Bastiaan kwam haar ook heel misschien opzoeken. En Stan…?

Bij thuiskomst was er al een mail terug van Joke. 'Herkenbaar,' stond er in de onderwerpregel. Nieuwsgierig opende Babs de mail natuurlijk toch, daarna zou ze écht aan het verhaal gaan werken.

'Herkenbaar', dat sloeg op wat ze had gezegd over Ted. Want verliefd was ook Joke niet geweest op Jan. Dat mailde ze. Maar hij was sympathiek, betrouwbaar en een harde werker, wat wil je nog meer. Zouden dan romantiek en liefde niet vanzelf gaan opbloeien, ook al was ze dik? Tja, wél als ze dat allebei aandurfden... Maar Jan vond hun leven goed zoals het was, met zijn werk en hobby's. En ze wist toch wel dat hij van haar hield?

Hoe vreselijk zijn dood ook was, hoe akelig het gemis, hoe afschuwelijk de leegte, er was ook een gevoel dat ze tevergeefs van zich afhield, een gevoel van bevrijding waarvoor ze zich destijds diep schaamde.

'Of is het om te kunnen overleven dat er, diep binnen in een mens, iets ontluikt als hoop voor de toekomst, iets dat de energie geeft om toch iets van het leven te maken? Alleen richtte ik me niet op een nieuwe levenspartner.'

Wel had ze zich durven overgeven aan de beeldende kunst, waarvan ze wist dat Jan die flauwekul vond. En hoe was haar leven erdoor veranderd! Veronderstel dat ze dat had moeten missen, dan had ze met lege handen gestaan. 'Dan was ik misschien weer als verpleegkundige gaan werken. Wie weet was ik dan nu manager met een fors salaris. Geloof jij dat? Ik niet! En iets anders, hebben jullie geen vervolgafspraak gemaakt? Je zegt er niets over.'

Precies, dacht Babs.

Ze klikte al op 'beantwoorden'. Dat kon nog gauw even voor ze met het verhaal aan de slag ging.

'Inderdaad hebben we niets afgesproken. Maar we hebben onze mailadressen en telefoonnummers, hoor. En...'

Wát en?

'... als ik zover ben, zoek ik wel contact met hem.'

Ze haalde de zin weer weg.

'... hij zal vast wel contact zoeken, het was zo gezellig.'

Ook die zin haalde ze weg.

'... ik weet niet eens of hij nog altijd vrij man is. Ik moet me niet blind staren op hem en ook openstaan voor andere mannen, nu ik de kans heb. Hier in Nice kan ik ervaringen opdoen. Moet je voorstellen, een stad waar ik anoniem ben! Want het is in wezen een herhaling van zetten als het meteen wat zou worden met Stan. Ik bedoel, met Ted begon het omdat we elkaar nu eenmaal waren tegengekomen. En dan zou het met Stan óók zo gaan. Veilig, hoor. Geen risico's. Waarom niet eens wat gedurfder en...'

Wat een flauwekul. Met een lange druk op de delete-toets was ook dat stuk weer weg.

Haar dwalende blik zag dat het intussen half twee was. Ze zou aan het verhaal gaan werken!

'.... nu ga ik aan het verhaal werken,' tikte ze. 'Ik moet de draad oppakken. Het is inmiddels weken geleden dat ik ermee bezig was.'

Ze klikte op 'verzenden', sloot het mailprogramma af en opende het tekstverwerkingsprogramma. Daar stond het document al op het beeldscherm. Ze begon te lezen. Het verhaal was best leuk en origineel. Maar toch... Het miste het levenlustige van kinderen. Het was ook best lastig om je in te leven in ventjes van die leeftijd. Hoe waren haar eigen jongens toen?

Ze stond op en haalde uit de keuken een trosje druiven. Heerlijk zondoorstoofd zoet smaakten ze. Stan schrijft alleen nog voor de grap, dacht ze. Hé, een gelijkenis tussen ons!

Ze glimlachte.

We hebben nog geen vervolgafspraak gemaakt, dacht ze. Maar dat komt wel – dat zeiden zijn ogen.

Alleen woont hij in Nederland. Ga je nu al die weken hier op hem zitten wachten?

We kunnen bellen en mailen!

O ja. Dat is waar.

En verder voel ik me vrij, hoor.

Gelukkig! Dus je gaat leuke dingen doen 's avonds, dingen die je kunt doen als vrije vrouw?

Natuurlijk.

En wie weet ontmoet je hier wel iemand met wie je… je snel vertrouwd voelt…

Op die Fransen zou ik nou niet een twee drie vallen.

Ach, het gaat om een paar leuke flirts. Niet meteen zo serieus doen!

Ze haalde nog een trosje druiven.

Ik kom dan wel aan de weet of ik nog een beetje in trek ben, dacht ze. Ik heb mijn figuur mee, mijn leeftijd tegen. Omdat het hier in Nice zo lekker zonnig is, zie ik er best leuk uit. Mannen kijken nog naar me. Laat ik mezelf dat vooral gunnen, straks ben ik echt te oud. En ik loop toch niet in zeven sloten tegelijk?

Ze kon eens naar de film of een concert gaan. Naar een jazzcafé of zo'n pianobar ergens achter de boulevard. In een lekker eigenzinnig, zelfgemaakt kledingstuk. Op die parelgrijze suède laarsjes van de markt die ze toen balancerend op een been paste, waardoor de jeugdige schoenenbaas haar charmant ging ondersteunen.

Maar Stan…

'We houden contact,' had hij gezegd.

Dat betekende toch echt dat zij hem ook kon bellen of mailen.

Je kunt het een doen en het ander niet laten, zei het binnen in haar. Lekker uitgaan en Stan op een goed moment bellen.

Want het wás met hem een fijne avond. Heerlijke bouillabaisse, lekkere rosé, leuke sfeer.

Bij uitgaan in je eentje kun je te maken krijgen met opdringerige, enge mannen. Wist je veel of er een psychopaat verscholen zat in een charmante nieuwe kennis? Alleenzijn maakt kwetsbaar.

Waarmee je film en concert, jazz en entertainment, cabaret en toneel uitsluit?

'Ik kan een taxi nemen bij het weggaan,' zei ze opeens hardop. 'En ik kan een paar assertieve Franse zinnen uit mijn hoofd leren. Kom op, ik vind mezelf toch een initiatiefrijke vrouw? *Mais non!*' speelde ze op besliste toon. '*Laissez-là! Je suis une aibaai.*'

Ze zocht het meteen op in het woordenboek. *Virago*, was het.

15

Naar de bioscoop gaan in je uppie was een fluitje van een cent. Qua mannen geen vuiltje aan de lucht, want de film die draaide was een romantisch niemendalletje waar alleen maar moeders en dochters en vriendinnenstellen opaf waren gekomen. Alle vrouwen renden in de pauze net als in Nederland naar de toiletten, waar het een gekakel van jewelste was, en daarna ging iedereen nog steeds kakelend een ijsje kopen in de foyer. En omdat er in de zaal niets geconsumeerd mocht worden, liep die pas weer vol toen de film alweer was begonnen.

Dit was dus voor herhaling vatbaar. Ook het bijwonen van een klassiek concert dat door een barokensemble gegeven werd in een monumentale kerk, hoewel het daar nogal stijfjes was en niet zo feestelijk of ontspannen.

Babs kwam er naast een echtpaar van haar eigen leeftijd te zitten. Omdat ze de gang van zaken niet zo begreep en ook het programmablaadje weinig aanknopingspunten bood, vroeg ze hun hulp. De man legde het langzaam sprekend uit en de vrouw deed het nog eens dunnetjes over in het Engels – erg aardig omdat Fransen daar niet zo snel toe bereid zijn.

Avontuurlijk was het in die kerk vol grijze hoofden natuurlijk niet, en een verrassende wending aan haar leven zou dit niet geven. Dat deed ook een voorstelling met spectaculaire lichteffecten in het grote muziektheater niet – een voorstelling die wel behoorlijk wat entreegeld kostte. De entree was behoorlijk aan de prijs. Ze werd ervoor getrakteerd op een musicalachtige show met veel glitters en bombarie waar ze niets van begreep, terwijl ze in de pauze de bar niet kon vinden en iedereen wel mooi met een kennelijk bij de toegangsprijs inbegrepen glas champagne liep. Ze voelde zich er verloren en zou een opdringerige man dankbaar geweest zijn voor zijn gezelschap, maar zo'n lastpak was niet voor handen.

Voorafgaand aan dat laatste uitstapje was ze al eens onverrichter zake thuisgekomen van een muziekcafé vol met in het zwart geklede pubers met wollen mutsjes, en van een pianobar met slechts drie hoogbejaarde, zich als modern en vlot voordoende echtparen en twee vadsige en vlekkerige oude mannen.

Toch vond ze uiteindelijk een oergezellig cafeetje achter een van de grote boulevards waar een jazzcombo een graatmagere zwartharige zangeres van zeker zeventig met een doorrookte stem begeleidde, en waar zelfs op een minidansvloertje druk bewogen werd.

Ze trof er een ouder Nederlands stel, dat al zo'n kwart eeuw in een dorp in de buurt woonde en gezelschap had van een goedlachse Franse vriend, die een stuk jonger was. Hij maakte de indruk van een gemoedelijke, gecastreerde kater in een zonnige vensterbank.

De man moest inderdaad erg lief zijn, want toen haar pashmina bij het afscheid van haar schouders dreigde te glijden, legde hij die met zorgzame warme handen terug. Babs rilde ervan, maar vond het gerechtvaardigd om niet te analyseren of dat kwam omdat het eeuwen geleden leek dat een man haar op zo'n aardige manier aanraakte of juist omdat ze afkeer voelde.

Heel anders verliep een ontmoeting in de tuin van het appartementengebouw met een levendige donkere man, familielid van de Fransen, die haar met twinkelende ogen toelachte toen hij groette. Er volgde een gesprekje waarin de lach moest zeggen waartoe haar Frans en zijn Engels onmachtig waren. Zoiets als:

'U bent een charmante vrouw.'

'Dank u wel. *That makes my day.*'

'Laten we de tijd nemen voor een gesprek.'

'Poeh, maar ik zou aan een verhaal verder schrijven.'

'Bent u schrijfster?'

'*Non, non, non*! Ik volg een schriftelijke cursus als hobby.'

'Blijft u hier lang?'

'Een maand of drie, waarvan nu een paar weken voorbij zijn. En u, wat doet u hier?'

'Ik ben hier elk jaar in mei en november een week. In het appartement van mijn peettante en haar man, lieve mensen. Dan zijn zij bij familie in Israël en geniet ik als Parijzenaar weer van de Côte d'Azur.'

En dan van Babs' kant zo'n lachje dat aangeeft dat ze het begrepen heeft, maar oei, wat is Frans toch een lastige taal, en, *excusez-moi*, maar laten we maar stoppen.

Zo al met al gaf ze zichzelf toch kansen op een verrassende dan wel spannende wending van haar bestaan, waaran Joke haar in een mail herinnerd had.

'Doen dus, dat uitgaan. Doen dus!'

Maar toen de Parijzenaar zomaar 's middags met een niet mis te verstane schalkse lach voor haar deur stond, gruwde ze ervan. Hoe bestaat het dat er vrouwen zijn die dat wél kunnen, dacht ze terwijl ze koortsachtig in haar geheugen naar assertieve Franse zinnetjes zocht.

Ze hield het op een erg duidelijk '*mais non!*' Ook zijn vraag om telefoonnummers uit te wisselen of e-mailadressen, weerde ze als een geboren *virago* af met een ferm '*non!*'

Nadat ze de knip op de deur gedaan had, dacht ze aan Stan. Die was lang en slank, terwijl deze vent op dit uur van de dag al naar wijn en knoflook stonk.

Een Casanova in het cafeetje van de jazzcombo pakte haar subtieler in met geïnteresseerde vragen, een warme blik, een speciaal drankje dat ze móést proeven, pistachenootjes die hij voor haar dopte, een pepertje met een schaaldiertje erin dat hij haar op een cocktailprikker gestoken liet proeven, een complimentje over de charme van haar oorbellen, inclusief een licht tikje tegen de linker en vervolgens de rechter, en de hoffelijke vraag of ze hem de eer wilde doen om met hem te dansen.

Fransen zeggen dat mooi. Bovendien was hij niet opdringerig maar aandachtig, en niet adorerend maar bewonderend. Daarbij was hij smaakvol gekleed en leuk van postuur, en herhaalde hij als ze hem niet begreep zijn woorden in een komisch Engels.

Het enige waarmee Babs niet zo goed uit de voeten kon was die warme blik uit zijn donkerbruine ogen, maar goed, die hoefde ze niet te zien toen ze dansten. En, o là là, daar danste ze toch maar in de armen van een goed geklede, charmante man!

Ze kon haar lachen bijna niet onderdrukken. Of ze hier in Nice wat wist te maken van haar leven, ze had het toch maar goed voor elkaar. En wat een tref dat ze dit keer de suède laarsjes droeg, die hadden gladde leren zolen. Als er meer ruimte was geweest op het vloertje had ze lekker losjes kunnen swingen, dat ging haar wel goed af doordat…

Ze verstrakte. Leek het nu zo of aaide er een hand over haar onderrug? Schuins keek ze naar het gezicht van haar danspartner, maar daarvan was buiten de lichtcirkel van die ene spotlight weinig of niets te zien.

Opnieuw leek de hand over haar rug te gaan, terwijl tegelijk zijn lichaam opeens het hare nogal raakte. Er waren inderdaad meer dansers, maar ze hoefden toch niet op dit krappe stukje te blijven, meer naar achteren was toch genoeg ruimte, en hoe kon het dat ze opeens tegen dat been van hem aanstootte?

Hemel, zijn armen sloten zich om haar heen! Zomaar pardoes drukte hij zijn mond op de hare en hield zijn hand haar hoofd vast. Het allerergste was nog dat ze die zoen heerlijk vond. Allerheerlijkst zelfs. Het was de allerheerlijkste zoen van haar hele leven. Wat kon die man overrompelend sexy zoenen!

Maar toch net niet zó overrompelend dat de zoenen de geur van oude sigaren uit zijn kleding wegnamen en dat ze, toen haar ogen van schrik wijd open waren gegaan, zag dat dat ene spotlight nu precies een enge wrat in zijn rechterneusgat belichtte en de blauwe stoppeltjes van zijn baard.

'Weet u,' zei ze bij gebrek aan vocabulaire in duidelijk gearticuleerd Nederlands terwijl ze zich gedecideerd van hem losmaakte, 'u zoent heerlijk, ik geef het toe, maar verder staat het me tegen. Ik ben zo'n type niet, merk ik. Om eerlijk te zijn ga ik nu ook het liefst meteen weg. En waarom ook niet? Waarom zou ik het u en mij lastig maken? Precies, ik bestel nu meteen maar bij de bar een taxi, dank u voor uw gezellige aanwezigheid, maar dat zoenen had u toch maar beter kunnen laten.'

Aan zijn boos gefronste voorhoofd zag ze dat hij haar niettemin begrepen had. Het viel haar eigenlijk tegen dat hij haar zonder meer liet gaan, maar dat maakte haar aftocht natuurlijk wel stukken gemakkelijker.

Toch nam ze een taxi. Ze liet zich afzetten voor de rode loper van het ultrachique hotel Negresco aan de Promenade des Anglais. Ze flaneerde daar een kwartiertje mee in de menigte en keek nog vijf minuten lang over de lage stenen borstwering naar het donkere strand en de lichtjes verderop langs de zee voor ze naar de bushalte liep, waar nu elk ogenblik de bus naar haar wijk zou komen aanrijden. Slim vond ze deze actie zelf, voor het geval ze door de man gevolgd werd, en tegelijk lachwekkend zoals ze van een mug een olifant maakte. Want om dit nu een riskant avontuur te noemen… Het was meer een borreltafelverhaal om met vriendinnen lol over te schoppen.

Dat had ze dolgraag willen doen, maar er waren geen vriendinnen, collega's of kennisjes in de buurt. Wat was het vreselijk jammer dat Joke niet naar Nice kon komen.

Babs mailde haar dan ook een belevenis als deze hilarisch en uitgebreid, en als ze een van haar zoons aan de telefoon had babbelde ze maar al te graag over de leuke ontmoetingen en gesprekjes met Fransen, 'ook al heb ik vanzelfsprekend nogal veel moeite met de taal'.

Na dat ontnuchterende avontuur mailde ze maar een paar absoluut onschuldige gezondverstandregeltjes naar Stan. Ze zouden immers contact houden? Nou dan.

Hij mailde er een sympathiek maar kort antwoord op. Waardoor ze het niet kon nalaten om te antwoorden met wat *couleur locale*, waarop weer een leuk ad rem bedankje terugkwam.

Wat hierover te zeggen als Joke ernaar vroeg? Maar Joke vroeg niets. Zij was druk met het wapenfeit van haar tiende verloren kilo en haar eerste les in nordic walking.

'Dat schijnt heel goed te zijn voor rugpatiënten en het kost je veertig procent meer energie dan gewoon wandelen.'

'Je bent dus twee zakken aardappels van vijf kilo kwijt,' schreef Babs terug. 'Of tien pakken yoghurt.'

Op die manier werden haar mails aan Joke eindeloze verhalen. De antwoorden van Joke waren dat trouwens ook. Voor de gezelligheid printte Babs ze voortaan consequent, om ze 's avonds bij een glas wijn nog eens te lezen, thuis of bij het kaarslicht van de kleine wijnbar, die ze had ontdekt aan de andere kant van haar *quartier,* waar het ondanks het schaarse licht de gewoonte leek om er heel huiselijk de krant te lezen of op je laptop te werken, maar waar ook volop gepraat werd door voornamelijk jonge mensen, ook in andere talen.

'Maar waarom schrijf je haar dat dan niet?' klonk het verderop bijvoorbeeld in perfect Engels. 'Dat ik haar sympathiek vind?' 'Ja! Anders weet ze dat toch niet!?'

Zal ik Stan mailen dat ik hem sympathiek vind?, dacht ze. Nee! Ik moet eerst te weten komen of hij een partner heeft. Ze trommelde met haar vingers op de mail van Joke. Laat ik me beperken tot wat dingetjes die me opvallen hier. Zoals vanmorgen het knabbelen van de golfjes aan de kiezels van het strand. En dat het na een regendag, zoals gisteren, gewoon weer lekker weer is.

Maar nee, geen ontboezeming dat ze hem sympathiek vond. En natuurlijk al helemaal niet dat ze hoopte hem gauw weer te zien. Eerst vragen of hij een nieuwe relatie... Ze veerde overeind. Maar dan had hij daar toch al over gepraat? Waar het hart vol van is, daar loopt de mond toch van over?

In dat geval...

Misschien móést ze zelfs zoiets persoonlijks zeggen over sympathie. Was het in de huidige maatschappij voor een geëmancipeerde man *not done* om de leiding te nemen, respecteerde hij dan niet de autonomie van de vrouw en hoorde hij te wachten tot zij het sein op veilig zette? In dat geval was die Casanova beledigend conservatief geweest met zijn gepassioneerde aanpak!

Over hoe lange tijd was dan het moment gekomen om dat te mailen?

Nú, zei iets in haar binnenste.

Nu? Hier in deze wijnbar zeker!

Ja. Nu of nooit.

Nou, nou, zo'n halszaak is het toch ook weer niet?

Dat is het wel. Moet ik het nog eens herhalen? Het is nu of nooit!

Voor je het weet duurt het te lang om spontaan te reageren.

Spontaan? Hoe dan?

Per sms.

Per sms?

Wat je zegt! Door woorden te vormen via de letters op het toetsenbordje, weet je nog? Kom op, doen!

Ze pakte haar telefoontje.

'Zit in wijnbar. Dacht aan je,' tikte ze in. 'Zien we elkaar weer?'

Ze liet de woorden nog een keer over het schermpje passeren. Kon dit wel? Waarom moest dat woord 'wijnbar' erbij? Maakte dat niet een eenzame indruk? Als hij maar niet dacht dat ze aangeschoten was.

Hou op! Klik op 'verzenden'!

Ze dronk het laatste beetje wijn uit haar glas en bestelde een tweede, met een portie met ansjovis gevulde olijven. Toen pas klikte ze op 'verzenden'.

Nog voor het tweede glas halfleeg was, kwam er een berichtje terug. Het was ultrakort. Er stond alleen maar een *smiley*.

Moet ik daar nu wel of niet op reageren, dacht ze op de terugweg naar huis. Daar checkte ze de mail voor ze naar bed ging. Er was één nieuw bericht. Van Stan.

'Dank voor je sms. Kon onder de vergadering niet een écht antwoord intikken. Hoop dat je mijn lachertje begreep. Wat vind je ervan als ik naar je toe kom? Het is een vluchtje van niets naar Nice. Zie op internet dat het gisteren regende, maar vandaag mooi weer was. 21 graden, alleen daarom al ;-) Het knipoogtekentje ken je toch? Ik bel je. Groet, Stan.'

16

Hij belde vroeg die avond. Babs bakte net paddenstoelen voor bij stokbrood, maar draaide het gas uit. Wat was het door de intonatie, lachjes en aarzelingen veel gemakkelijker om te laten merken hoe leuk ze het vond dat hij kwam, maar ook dat hij zich absoluut niet verplicht moest voelen door haar sms'je. Het kwam niet eens stom over. Alleen... hij kon nu puntje bij paaltje kwam alleen het aankomend weekend of anders pas vlak voor de feestdagen. Schikte dat?

Ja, ze was het hele weekend vrij.

Nou, als er plaats was, nam hij op vrijdag dezelfde vlucht als laatst, de vlucht die om half twaalf 's ochtends moest aankomen. Eenmaal geland zou hij haar bellen.

Nog voor ze neerlegden wist Babs dat ze hem als een goede gastvrouw op de luchthaven ging opwachten.

In de vier dagen tussen hun telefoontje en zijn komst stroopte ze de stad af naar leuke pleinen, mooie gebouwen en gezellige eethuizen. Ze nam ook een bus het achterland in en een bus naar Monaco. Zo werd het pardoes vrijdag.

Voor alle zekerheid was ze nogal vroeg op het luchthavencomplex, want vliegtuigen zijn niet altijd vertraagd, redeneerde ze, ze komen ook wel eens eerder aan dan volgens schema.

Maar de vlucht uit Amsterdam was punctueel. Ze had tijd over, maar dat vond ze geen bezwaar. Integendeel, ze vermaakte zich altijd prima met het gedoe op luchthavens. Ze bekeek een winkeltje, keurde er wat sieraden en sjaals, kocht een beker koffie en vond een plek om te zitten van waaraf ze prachtig zicht had over de aankomsthal.

Dat ze een beetje zenuwachtig was, was te zien. Ze streek nogal vaak over haar nieuwe zelfgemaakte asymmetrische geplooide kuitlange rok van lavendelkleurige zacht glanzende en soepel vallende stof, en wipte af en toe als een gek met een in grijssuède laars gestoken voet.

Over haar uiterlijk kon ze tevreden zijn. Voor ze naar de bushalte liep had ze zichzelf nog een keer grondig geïnspecteerd in de grote gangspiegel, en zichzelf tamelijk charmant gevonden. De kleuren die ze droeg pasten mooi bij elkaar. Het parelgrijze T-shirt stond mooi op de rok en was bijna van dezelfde kleur als de laarsjes. Jammer alleen dat ze geen tas in die kleur had en dat ze haar spullen in zo'n rieten geval met leren handvatten had moeten stoppen. Je kon ze hier op alle markten voor een prik kopen. Deze was toevallig versierd met wat paarse, lila, oudroze en grijze vlakjes.

Ze drentelde maar eens naar de espressobar om haar beker terug te brengen, keurde weer de sieraden af en bestudeerde op de terugweg opnieuw de verwachte aankomsten. Het toestel uit Amsterdam werd nog steeds keurig volgens schema verwacht. Dat betekende nog vijfentwintig minuten wachten.

Zou hij gek opkijken als ze opeens voor zijn neus stond terwijl hij net zijn mobieltje intoetste om haar te bellen? Voor alle zekerheid controleerde ze het hare, want veronderstel dat ze hem in de menigte níét vond, dan was het goddank door te bellen mogelijk het noodlot te keren dat ze elkaar zouden mislopen.

De batterij was vol. Het bereik was prima. De oproeptoon stond op z'n luidst. Het was nu zaak vertrouwen in de techniek te houden.

Ze ging weer op hetzelfde handige plekje zitten. En toen opeens kwamen er uit een hoek van de hal nogal veel mensen aangelopen. Aan het postuur te zien konden het Hollanders zijn. Ze tuurde naar het bord met aankomsten, maar zag achter een oploop met bagagekarren Stan lopen; hij beende met forse stappen recht op de hoek van de espressobar af, terwijl hij intussen met één hoge schouder om zijn tas er niet van af te laten glijden met zijn andere hand zijn telefoon aan zijn oor hield. Zijn suède jack hing open, een rode sjaal hing aan een kant gevaarlijk laag.

Op hetzelfde moment snerpte haar mobieltje een soort van luchtalarm door de ruimte. Ze nam op.

'Ik ben geland, hoor,' hoorde ze in haar oor.

'En ik kom eraan,' antwoordde ze.

'Je komt eraan?'

'Kijk maar in de richting van de grote deuren…'

Terwijl ze zijn kant op liep, zag ze hem zijn tas op de grond zetten en zich omdraaien. Leuke Stan, flitste het door haar heen, stoere vent in je fantastisch leuke jack en met je grappige krullerige haren. Haar arm maakte uit zichzelf een zwaaibeweging en haar hart maakte een sprongetje.

Wat híj dacht toen hij verrast opkeek en haar zag naderen, kon ze natuurlijk niet weten, en zou ze niet te weten komen ook, want poëtisch over ochtendnevels boven een lavendelveldje praten – en dat was het beeld dat er door Stan heen schoot – dat doet een man niet zo gauw.

Gelukkig spreken ogen met hun eigen woorden, en die vormden boekdelen toen ze tegenover elkaar stonden en wel lachend maar toch heel prozaïsch en zonder welkomstkus 'hallo!' zeiden.

Ze stonden even later voor een *sandwich* bij de espressobar. Van de broodjes in het vliegtuig had hij de vorige keer bepaald niet genoten, daarom had hij ze dit keer afgeslagen en z'n trek uitgesteld om te eten wat ze hier een 'sandwich' noemden – een wel twintig centimeter lang stuk stokbrood met uitpuilend beleg.

'Neem ook, Babs. Want we gaan straks dáár een auto huren en dan op stap,' zei hij met een hoofdbeweging naar de balie van een verhuurbedrijf. 'Als je wilt tenminste. Zeg het als je andere plannen hebt, maar het lijkt mij leuk om wat rond te kijken in het gebied waar ik laatst met mijn vrienden rondliep.'

'Dat lijkt me enig,' zei Babs. Logisch, want alles met Stan samen leek haar enig. Ze had niet voor niets thuis documentatie liggen over Cannes, Monaco en Cinque Terre in Italië, over tentoonstellingen en historische wandelingen. En was ze niet speciaal met de bus een stukje het achterland van Nice ingegaan omdat hij daar was? Het moest verderop wonderschoon zijn, had ze aan de vele groen omzoomde wegen op de overzichtskaart uit de boekenkast van tante Hannelore gezien.

'Akkoord,' zei ze meteen. 'En dan neem ik nu inderdaad een *sandwich*.' Ze keek langs zijn schouder naar de koelvitrine. 'Met *jambon cru*.'

Hij wachtte zijn beurt af om te bestellen. 'Er zijn prachtige herfstkleuren,' zei hij over zijn schouder. 'Indrukwekkende natuur daar. En vaak zie je zomaar voorbij een bocht in de weg, hoger of lager tegen een berghelling, een dorpje of gehucht met een *auberge*.'

Haar trof het grappige zelfverzekerde van toen. Hij was zo zeker van zijn zaak.

Hij bestelde.

'Ik wacht daar,' zei ze, wijzend op een vrij statafeltje. 'Ik neem je tas mee.'

'Wat vind je van het idee?' vroeg hij terwijl hij de stukken stokbrood op de bijgeleverde servetten neerlegde.

'Klinkt fantastisch,' zei ze van harte.

'Dan rijden we straks eerst langs jouw huis om wat spullen op te halen,' stelde hij voor. 'Zodat we ergens kunnen overnachten.'

'O,' zei ze. 'Ja, oké.'

Ze hapten een stuk brood af.

Hij keek in het rond en zei dat hij het fantastisch vond om zomaar weer een weekend natuur te kunnen pakken. 'Toen we daar rondliepen,' hij maakte met zijn hand een gebaar in de ruimte, 'vond ik meteen al dat wij daar eens samen een kijkje moesten nemen. Het is er echt prachtig, maar dat zei ik geloof ik al?'

Wij samen, herhaalde ze in zichzelf. Hij stelde zich voor dat wij daar sámen naartoe gingen. 'Ja, mooie natuur, zoiets zei je,' zei ze intussen. 'En dat de kleuren er mooi zijn. Het lijkt me geweldig. Maar ik hoef toch geen bergschoenen te kopen, hè?'

Hij lachte. 'Hou het maar op de schoenen waarop je de stadse kilometers aflegt.'

Ze aten door.

'Leuk dat je je voorstelde om daar samen te zijn,' zei ze. De rest slikte ze met een stukje brood weg.

Hij knikte instemmend.

'En wat betreft overnachten…' zei ze. Ze concentreerde zich maar snel op weer een hap en deed alsof ze meer aandacht had voor een taai randje aan de ham dan voor wat ze zei. 'Je hebt dus geen… eh… vaste vriendin of zo…'

Omdat hij net een grote hap nam, schudde hij alleen maar met zijn hoofd.

'Er is daar trouwens ook een jeugdherberg,' zei hij geruststellend, 'je weet wel, met van die aparte slaapzalen.'

Hemel, moest ze dáárbij ook het initiatief nemen? Terwijl het hem verdikkie toch niet aan zelfvertrouwen ontbrak. De hele plak rauwe ham trok ze van schrik tussen het brood vandaan. Met haar vingers propte ze hem weer terug. 'Voor een jeugdherberg zijn we te oud. Daar mogen we niet in.'

'Niet hoor. Je kunt er ook als volwassene en als gezin terecht. Ze hebben tegenwoordig kamers met een eigen douche en toilet, dat zijn nu eenmaal de eisen van de moderne mens. Echt spotgoedkoop vind ik die gelegenheden trouwens niet, maar goed, een eenpersoonskamer in een hotel is natuurlijk veel duurder, als ze al zo'n kamer hebben. Kortom…'

'We zien wel,' vulde ze aan.

'We nemen een goed hotel,' zei hij tegelijkertijd.

17

Als echte Fransen bewogen ze zich in de fonkelnieuwe huurauto met natuurlijk een Franse kentekenplaat door het verkeer. Stan reed, maar Babs wees de weg. De stad was inmiddels gesneden koek voor haar. Er waren geen verkeersophopingen en door een aantal al te drukke kruisingen te vermijden bereikten ze al gauw het appartement.

Ze parkeerden in de parkeergarage om de hoek waar de appartementbewoners een eigen afdeling hadden. Op straat lukte het nooit, er waren daar amper parkeervakken.

De Engelsen, die in de tuin van de fletse zon profiteerden, keken Babs met een veelzeggende blik op Stan aan. 'Het is vertrouwd,' zei ze vrolijk lachend in het Engels tegen ze, 'Stan is een oude bekende uit Nederland.'

'Ze houden een oogje in het zeil sinds ik ze vertelde over een ongewenste bezoeker aan mijn huisdeur,' vervolgde ze in het Nederlands tegen Stan. 'Ze zijn altijd heel vriendelijk en belangstellend, maar niet bemoeizuchtig. Dat gaf me in de begindagen hier houvast. Als bewoonster van de flat van Hannelore hoorde ik er meteen een beetje bij. Want om nu te zeggen dat ik me hier meteen op mijn gemak voelde… nee. Je bivakkeert toch maar in het huis en de privé-sfeer van een ander, met een andere smaak en vreemde spullen. En dan al die planten, hoe verzorg je ze nu het best?'

Ze merkte best dat ze veel aan het praten was. Maar het was ook heerlijk om dat in het Nederlands te kunnen doen, en nog wel tegen iemand die belangstellend luisterde en af en toe antwoord gaf. Zo ging dat nu eenmaal als een vrouw en een man samen waren, de vrouw babbelde. En een echte vrouw was ze naast hem!

Ze liepen langs de conciërge, die zat te telefoneren en groetend haar hand opstak.

'Zij hielp me met allerlei dingetjes,' zei Babs met een hoofdbeweging naar de conciërge. 'Niet dat ik helemaal atechnisch ben, maar de apparaten werken anders dan in Nederland.' Ze liepen naar boven. 'Neem de wasmachine, die kreeg ik niet aan de praat omdat er bij het stopcontact één extra schakelaar moest worden omgezet. En wat een gedoe met internet. Nee, zonder de conciërge en haar man...'

Ze waren op de galerij. 'Toch leuk om zo de zee te kunnen zien, hè? Met een kwartiertje lopen ben je er. Het water ziet nu nogal grijs doordat de hemel betrokken is. Ach, het is november...'

'En achttien graden.'

'Hoe weet je dat?' Ze opende de voordeur.

'Dat gaf de display in de auto aan.'

'Je zult zien dat straks de zon weer schijnt. Dan is de zee weer even azuur als op de ansichtkaarten.'

Ze ging hem voor naar binnen. 'Intussen voel ik me hier de koning te rijk. Ik bof toch maar... Zal ik even snel espresso maken?' Ze wees hem op de kapstok voor zijn jack en pakte het vierkops omkeerpotje uit de keukenkast.

Een kreet uit de gang! 'Verdomme, ik schrik me rot!'

'O, sorry, ik had je moeten waarschuwen voor die spiegel in de gang.' Ze stampte de koffie in het filterbakje aan, vulde het potje met water en zette het op het gas.

Ze liepen de kamer in. Babs showde de grands foulards en liet zien hoe zwaar van kleur het door het bordeauxrood in de kamer was geweest. 'Ik zou zo'n lap over die rotspiegel hebben gehangen,' bromde Stan.

Babs lachte. 'Mannen hoeven niet te kijken welke schoenen het beste onder hun rok staan.'

Hij nam haar grinnikend op. 'Die laarzen staan er goed onder.'

'Zelfgemaakt,' zei ze.

Hij fronste zijn voorhoofd. 'Je laarzen toch niet?'

'Nee, de rok natuurlijk. Ik vond de kleur zo mooi.'

'Ik ook,' zei hij. 'Prachtig zelfs.'

'Tja, ik ben wat aan het klussen, dat zie je wel, hè?' zei ze met een armgebaar naar de eettafel. Daar stonden de laptop, de printer en de naaimachine broederlijk verenigd, met ertussenin naairommeltjes en een massa geprinte A4's en kladblaadjes met aantekeningen.

'Het komt er trouwens weinig van. De dagen vliegen om. Er is zoveel leuks, ook 's avonds, ik moet me echt dwingen om aan mijn cursus te werken. Toch wil ik hier in elk geval dat ene verhaal klaar krijgen, maar liefst nog meer, want in mijn nieuwe baan komt het er natuurlijk ook weer niet van. O, kijk, daar ligt de overzichtskaart van dit deel van Frankrijk. Hij is van tante Hannelore, we nemen hem mee. Maar ga zitten…' Ze wees op de gemakkelijke stoel bij het raam. 'Dan zoek ik snel mijn spullen bij elkaar voor de koffie klaar is.'

Hij had een beter idee. 'Als ik nu intussen wat op internet rondneus naar informatie over het gebied? Ik zal wat geschikte hotels zoeken en alvast hun telefoonnummers in mijn mobiel zetten, dat scheelt later veel gezoek.'

Het was dat haar mobieltje snerpte, anders had Babs iets leuks gezegd over jeugdherbergen. 'Wat staat dat ding luid!' riep ze nu.

'Dat zul je zelf hebben ingesteld,' zei Stan.

Het bleek een sms van Bastiaan.

'Volgend weekend klus in parfumstad Grasse,' las ze hardop. 'Komt het gelegen?'

'Yes!' riep ze. Ze tikte dat ene woordje in en drukte op verzenden.

'Bastiaan is de middelste,' zei ze intussen. 'Fotograaf. Er komt vast iets over parfums in het blad waarvoor hij werkt. Grasse en parfum is één pot nat. Ik ga nu mijn spullen bij elkaar zoeken. Ook een warme trui en een jack. Die heb ik hier nog niet gedragen.'

'Start even je laptop voor me op, wil je?'

Het duurde even voor de programmapagina op het beeldscherm stond. Ze wachtten. Zij zat op de stoel en hij stond achter haar. 'Já!' Ze stond op en draaide zich om. 'Ga je gang.'

Iets in zijn blik deed haar glimlachen. Was dit het moment om haar hoofd tegen zijn schouder te leggen? Zo voelde het wel, maar zo voelde het steeds. Of wilde hij iets zeggen?

'Weet je,' klonk het al, 'als je weer single bent, merk je pas dat er een apart wereldje is waarin vrouwen op mannen jagen en omgekeerd. Heb jij dat niet?'

'Het is bij mij nog maar zo kort. En hier ben ik een vreemde eend in de bijt…' Daar hield ze het maar op.

'Ik hou daar niet van.'

'Van dat wereldje…'

'Het is natuurlijk wel vleiend als een mooie vrouw moeite voor je doet. Voor je het weet ligt er iemand in je armen en ben je in iets verwikkeld wat je helemaal niet wilt. En hebben ze belangstelling voor je omdat je een aardige vent bent of omdat ze je een aangename financiële positie toedichten? Staat de printer eigenlijk ook aan? Ik kan het niet zien in de zon. Hé, de zon schijnt dus weer! Het is wel handig om dit hier op papier te hebben…'

Ze zette hem aan. Inderdaad scheen de zon volop naar binnen. Ze controleerde de grands foulards en plaatste de minikamerschermpjes bij de planten. De aarde was nog vochtig.

'… maar dat heb ik bij jou helemaal niet. Het is alsof we elkaar al veel langer kennen. Anders zou ik niet dit weekend met je op stap gaan.'

Hoor je dat, sprak Babs zichzelf met uitroeptekens toe. Geen initiatieven dus. Hou je in, ook al zou je duizend keer in zijn armen willen liggen. Geen zogenaamd spontane zoen, geen lichte aanraking van zijn arm, geen van die dingen die van binnenuit komen laten gebeuren. Denk erom!

'We kennen elkaar natuurlijk ook een beetje van vroeger,' zei ze.

'Toen al leek het voor mij of we elkaar langer kenden. We voelden ons wel op ons gemak bij elkaar. Ik wist meteen dat jij geen ingewikkelde gebruiksaanwijzing hebt. Daar hou ik van. Niet van dat gecompliceerde.'

'O.'

'Dit hier print ik ook even.'

'Waarschijnlijk hou je niet van gecompliceerde… eh… types… omdat je zelf niet moeilijk doet.' Ze aarzelde even. Het zou toch niet te ver gaan om te zeggen dat ze elkaar goed aanvoelden?

'We voelen elkaar goed aan.'

'Dat vind jij ook?'

Ze glimlachte bevestigend. 'Ja,' zei ze erachteraan omdat hij met zijn rug naar haar toe zat om de prints te pakken.

'Ik vond je toen erg leuk,' zei hij.

Het was dus waar. Ze had het indertijd goed gevoeld. Wat een drama was dat geworden… Maar nu niet ad rem vragen of hij me dan nu niet meer leuk vindt, flitste het door haar heen. Dat is zo flirterig!

'Als vrij man kon ik wat speculeren, maar ja, je was getrouwd. Wat dat betreft kwam het niet zo slecht uit dat ik geen nieuwe opdrachten van jullie krant kreeg, kinnesinne trouwens, maar goed, dat maakte dat het hele idee naar de achtergrond verdween. Toen kwam de diagnose bij Tineke en daarmee een soort stilstand in mijn leven. Maar daar gaat het nu niet om. Wat ik wil zeggen, is dat alles weer terugkwam toen je zomaar opeens op klaarlichte dag aan de telefoon was. Het was alsof we elkaar de dag ervoor nog hadden gesproken. Ziezo, we hebben informatie genoeg, ik zal de laptop uitzetten.'

Hij draaide zich om, stond op en keek haar afwachtend aan. 'Snap je?'

Ze knikte hem glimlachend toe. Zijn blik hield de hare vast. Niet dichter op hem toe lopen, dacht ze. Er hoefden geen uitroeptekens achter. Het voelde goed zo.

Lachend zei hij dat het een goed voorteken was dat hij toevallig ook in Nice moest zijn.

'Onze ontmoeting werd met al dat Franse gedoe erbij meteen bijzonder. Mijn vrienden hebben het moeten horen!'

'O ja?' vroeg ze oprecht verbaasd. 'Ik dacht dat mannen niet zo praten over… eh… dit soort dingen.'

'Natuurlijk wel. "Als je je niet opgejut voelt door een vrouw, heb je volgens mij de juiste te pakken," zei een van mijn vrienden.'

Babs schoot in de lach, maar zei niets.

'Je kwam me niet alleen maar uit beleefdheid ophalen van het vliegveld,toch?'

'Omdat ik het erg leuk vond om je weer te zien, natuurlijk.' Weer moest ze lachen. 'Het was grappig om jou al lopend te zien bellen en te weten dat je waarschijnlijk mij te pakken probeerde te krijgen. En toen die idioot harde snerp! Maar nu ga ik snel mijn spullen pakken. O nee, de koffie!

Toen ze uit de keuken terugkwam, zei hij dat het goed was om te weten hoe ze erover dacht. 'Lekkere koffie trouwens. Zeker uit zo'n omkeerpotje?'

'Hoe raad je het.'

'Een machine maakt nogal veel lawaai. Vroeger op school vroeg je gewoon aan een meisje of ze met je wilde gaan...'

'En daar antwoordde je dan "mij best" op,' zei Babs.

'Zullen we dan met elkaar gaan?'

'Mij best,' antwoordde ze. Om niet haar hoofd tegen zijn schouder te leggen, zei ze: 'En dat op onze leeftijd. En nu ga ik mijn tas pakken! Neem nog een koffie. Ik moet me ook even omkleden. Jeans. Gympen.'

In de gang draaide ze zich toch nog om. 'Vond je die sms van me niet vervelend?'

'Nee, hoor.'

'Hoezo niet?'

'Omdat er geen "lieverd" of "schat" boven stond. En ook geen kruisjes die op kussen duiden.'

Ze kwam daarna toch nog weer even terug.

'Je had het zeker steeds erg druk op je werk?'

'Zeg dat. Tot over mijn oren.'

18

De weg klom en werd smaller. Er waren amper auto's, wel racefietsers, al dan niet in groepjes. Volgens de kaart was in deze *région* het dorp van het op internet gevonden hotel met vrije kamers, en een paar kilometer voor dat dorp moest een wijnboerderij zijn met gastenkamers in een bijgebouw.

Maar voor het opzoeken van logies was het nog wat vroeg, ook al stond de zon niet erg hoog meer. Trek in eten hadden ze nog niet door een punt taart met abrikozen en amandelen die ze op het muurtje tegenover de bakkerij hadden opgegeten. Daarom konden ze bij een zijweggetje met de wegwijzer van de langeafstandswandelroute de tijd nemen om de benen te strekken.

Het pad kronkelde langs de berghelling, maar was prima hand in hand en op gympen te belopen. Het rook er lekker herfstig, ergens verderop werd hout verbrand. Een mooi uitzicht bood het pad door alle begroeiing eromheen niet, vond Babs. Maar er groeiden wel weer diverse planten en mossen tegen de helling, waarvan Stan overigens ook niet alle namen wist.

'Dat bedoel ik, er is altijd wel wat te zien als je buiten loopt,' zei hij. 'Is het niet ver weg, dan is het wel heel dichtbij. Is het niet het overzicht, dan is het wel een detail. Moet je alleen al die dode boom zien daar verderop. Een mooi lijnenspel maakt hij tegen de hemel, en dikke kans dat er op zo'n stompje van een tak paddenstoeltjes groeien.

Het was nog waar ook. Minuscule oranje spikkeltjes waren het. Dat soort dingen maakte het ontbreken van uitzichten wel goed. Bovendien waren ze tijdens de rit al erg verwend met vergezichten. Die hadden hun regelmatig de mond gesnoerd, terwijl ze juist gesprekstof te over hadden.

Nu konden ze al lopend doorpraten. Stan vertelde net wat over zijn vriendengroep. Wat die mannen voor de kost deden, over hun gezamenlijke studietijd, over hun privésituaties en hun al dan niet vermeldenswaardige sportieve prestaties.

De vriend die vanwege zijn slecht functionerende knie niet had kunnen meelopen en in Zwitserland woonde, bleek bij dezelfde multinational te werken als Helmut, de mannelijke helft van het stel dat Babs' rugzakje had gered.

Een idioot toeval, vond zij.

Niet als je het heel nuchter reconstrueerde, wierp hij tegen.

Dat bedrijf had duizenden werknemers, verspreid over vestigingen in verschillende landen en steden, waaronder Amsterdam en Basel. Wilde je carrière maken dan nam je overplaatsingen voor lief. Daarom werkte zijn vriend nu een paar jaar daar, en Helmut in Nederland. Het zou pas écht toevallig zijn als ze elkaar kenden.

Zo liepen ze al pratend af op een bankje bij een soort gedenkteken. De letters in het hout waren nagenoeg onleesbaar. De lage zon maakte het er aangenaam van temperatuur en het uitzicht over de glooiende, door geboomte van elkaar gescheiden akkers was prachtig. Sommige stukken land waren omgeploegd en zagen grijsachtig, anderen hadden nog kleur door restanten van gewassen.

Er tsjirpte zelfs heel even een krekel, maar hij stopte acuut toen er een groep kakelende kauwtjes overvloog, een vogelsoort die Babs maar ordinair vond, maar waarover Stan wist te vertellen dat het intelligente vogels zijn en dat ze daar verderop gewoon voor de lol aan het buitelen waren langs de door de zon beschenen berghelling.

Een mooi voorbeeld was dit van hun gesprekken. Want over zichzelf hadden ze het amper en ook niet over principiële onderwerpen als de politiek en het milieu. Het ging meer van de hak op de tak, en bepaald niet diepgravend. Ze wilden het duidelijk luchtig houden.

Babs vertelde wel over ('met een groot woord') de wending die Joke en zij aan hun leven gaven door spontaan in een bed and breakfast te overnachten, en dat het inderdaad tot iets leidde omdat Joke als een blok viel voor de eigenaar ervan en het haar 'gelukkig afschuwelijk in haar rug schoot', waardoor ze bij die Rutger moest blijven.

'Toen ging ik dus alleen naar huis, nog helemaal in de sfeer van veranderen van je leven... en liet mijn rugzak met mijn hele hebben en houden ergens in de toiletten liet hangen....'

Dat was allemaal in een andere wereld gebeurd, leek het. Hier tsjirpte die krekel weer zijn eenregelig liedje.

Door die krekel vertelde ze wel hoever ze nu was met het kinderverhaal. 'Dat jochie uit onze moderne tijd is bang van insecten. Of ze niet zo'n ultrageluidapparaatje hebben, vraagt hij. Dan beseft hij pas echt wat het is om zonder gsm, tv en computers te leven. Het schrijven valt me overigens helemaal niet mee. Het idee is leuk, maar de uitwerking... Dit is overigens het enige echt lange verhaal van alle opdrachten. Door het aantal woorden dat het minimaal moet en maximaal mag hebben lijkt het meer een dun kinderboek te worden. Daarom wil ik deze opdracht gewoon afkrijgen, het is een uitdaging. Hoe gaat het trouwens met je columns?'

'Goed, maar ik hoef er nog maar twee te schrijven. Het tijdschrift fuseert met de concurrent.'

'En dat is natuurlijk het moment bij uitstek om de formule te wijzigen. Of de organisatie. Of om bepaalde werkzaamheden uit te besteden en investeringen uit te stellen. Het klinkt me bekend in de oren.'

De lage zon werd even gehinderd door de kale takken van een struik. Dat scheelde een paar graden. 'Toch mag ik met een halfjaar salaris niet mopperen,' vervolgde Babs. Ze besloot om niet te zeggen dat ze het fris kreeg. Had ze daarnet haar jack maar moeten omslaan in plaats van het terug te leggen in de auto. Nu kon het verkeerd uitgelegd worden.

'Het zal die laatste tijd bij de krant niet leuk voor je zijn geweest,' veronderstelde Stan.

Babs knikte. Dat was het inderdaad niet geweest. 'Wie van de vier gaat eruit? Dat vroegen we ons dagelijks af. En dat werd ik, als oudste. Maar dat had ik voorzien. Ik was al aan het rondkijken naar een andere baan. Het is grappig dat je dan overal om je heen iets hoort of ziet. Zo kwam me ook ter ore dat een kennis van mijn zoon Arthur voor zichzelf ging beginnen. Hij ging met nog enkele starters kantoorruimte huren in een bedrijvenverzamelgebouw.'

'En daarin delen ze vaak het secretariaat,' wist Stan.

'Vandaar dat ik contact met die jongen zocht. En ik in het nieuwe jaar daar ga beginnen. Het is wel voor meer uren dan ik van plan was. Maar je moet natuurlijk niet te veel op je strepen blijven staan. Bovendien komt er, na een jaar of twee, ongetwijfeld een kracht bij. Zo gaat dat. En intussen woon ik nu toch maar met een gerust hart een poos in Nice. Fantastisch, in een subtropisch klimaat! Wie kan er in november gewoon buiten zitten, zoals wij nu?'

Toch moest ze even rillen. Stan sloeg zijn arm om haar schouder. 'Alleen wordt het onderhand te fris. Weet je dat het vandaag in Nederland regent?'

Nu niet mijn hoofd tegen zijn schouder leggen, dacht ze. 'O ja, regent het daar?'

Boven hun hoofd was het opeens een gekakel van jewelste. Er vlogen tientallen kauwtjes en er kwamen er steeds meer bij. 'Ze zijn zich aan het verzamelen om straks met elkaar naar een goede slaapplaats te gaan,' zei Stan. 'Net als spreeuwen. Prachtig zoals die vogels in grote formaties langs de hemel zwenken.'

'Net als bij het Centraal Station,' merkte Babs op. 'Wat een schouwspel zoals zo'n groep afsteekt tegen de avondhemel, die dan al gekleurd wordt door de uitstraling van de lichtreclames en zo.'

'Stadsmens!'

'Jij woont er toch ook?'

'Ik ga vaak de stad uit.'

'Dan neem je mij toch mee?' Het schoot eruit voor ze het wist.

'Dat wil je wel?' vroeg hij.

Ze grinnikte expres. 'Mij best, hoor.'

Precies op de uitwijkhaven waar ze geparkeerd stonden, viel het laatste zonlicht om de helling. In dat gouden licht leunden ze tegen de auto. 'We hebben gelachen, gepraat, gegeten, gedronken, autogereden en gewandeld,' zei Stan. 'Maar we hebben elkaar nog geen zoen gegeven.'

'Dat is waar,' zei Babs. En wat haar betreft waren al die voorbereidingen niet nodig geweest. Ook nu leek het haar zo logisch als tweemaal twee vier is om tegen hem weg te kruipen en na een poosje genieten elkaar te kussen. Maar ze bleef staan zoals ze stond. Ze zei ook niet: Zullen we dan nu kussen?

Zijn hand zocht de hare. 'Het is zo eenvoudig,' zei hij. 'Gewoon, je geeft elkaar een zoen.'

'Precies… Je begint gewoon. Of niet.'

Ze lachten. Om er zeker van te zijn dat ze elkaar niet toch gingen kussen, stonden ze eigenlijk te dicht bij elkaar, vond Babs. Maar ze bleef waar ze was. Ze leunde zelfs niet van hem af. Maar ze had wel een idee. Ze moest haar lachen inhouden.

'Onlangs werd ik zomaar gekust door een Fransman op een dansvloertje,' zei ze.

'En?'

Ze deed net of zij de lach in zijn bromstem niet hoorde.

'Heerlijk,' zei ze.

'Was het voor herhaling vatbaar?'

'Nee. Ik bestelde meteen een taxi om weg te wezen.'

Ze schaterlachte. 'Die man overviel me. Hoewel… hij zorgde eerst voor pistachenootjes en olijven.'

Hij schaterlachte nu ook. Hun handen waren niet langer in elkaar. Ze stonden ook niet meer naast, maar tegenover elkaar, hij met zijn armen om haar heen. Het was absurd om niet haar gezicht tegen zijn schouder te drukken. Het was nu of nooit! Maar net toen ze naar hem toe boog, kon het niet omdat hij haar kuste. Die Fransman was er niets, helemaal niets bij.

Te gauw was ook daar bij de auto de zon verdwenen en meteen was het te fris om te blijven staan. Ze stapten in en draaiden zelfs de knop van de verwarming hoog, de schemering leek in die paar minuten te zijn gevallen. Af en toe flonkerden er lichtjes bij boerderijen of groepjes huizen. Ergens verderop parkeerden ze weer, maar nu om bij het licht van het interieurlampje op de kaart te kijken hoe ze moesten rijden. Dat was simpel, een keer links en nog een keer links. Zo'n tien kilometer verderop aan die weg moest het dorp liggen, met eerst de wijnboerderij met de gastenkamers en daarna het hotel.

Net toen ze weer optrokken, snerpte Babs' telefoon. Nog stond het ding op zijn luidst! De display vermeldde een onbekend nummer. Een vrouwenstem.

'U kent mij niet. Ik ben verpleegkundige van de thuiszorg en bel u op verzoek van … eh… Heleen moest ik zeggen. Ze is namelijk ziek. Of ziek, erg zwak. Haar hoge leeftijd en haar hart. Ze zou u graag op korte termijn nog een keer spreken. Ze wilde niet de nacht in voor ik u had gebeld.'

Heleen die haar nog eens wilde spreken? Hoezo 'niet de nacht in' wilde?

Babs was te verbaasd om die vragen te stellen. Het zal niet voor de gezelligheid zijn, flitste het door haar heen. Ging het over haar vader? Als het maar niet over haarzelf ging. Nee, zij was de dochter van haar moeder. Punt, uit.

'Ja, natuurlijk kom ik haar bezoeken,' stamelde ze. 'Maar ik woon tijdelijk in Nice en kom pas rond de kerstdagen terug naar Nederland…'

Het bleef even stil.

'De kerstdagen…'

'Dat duurt te lang…?'

'Inderdaad.'

'Dan moet het telefonisch.'

'Ik overleg. Een ogenblik.'

'Het gaat over een oude dame, die bevriend is geweest met mijn vader en…' fluisterde Babs tegen Stan.

'Bent u daar? Morgen omstreeks half twee, graag. Dan heb ik weer dienst, ziet u.'

Babs drukte haar telefoon uit. 'Dit is een gek verhaal,' zei ze peinzend. 'Dat ik zo dramatisch kan maken als ik wil. Maar kort gezegd…'

Ze vertelde het inderdaad kort. De weg was op wat nevelslierten na verlaten. Stan luisterde zwijgend.

'Over wat Heleen me wil vertellen, kan ik van alles verzinnen,' zei ze tot slot. 'Maar dat is onzin. Nuchterheid is op zijn plaats. Als ik zelf zeker weet wie mijn biologische moeder is, dan kan ik daarop vertrouwen. Want het gevoel zegt de waarheid. Heleen zal nog iets willen vertellen over mijn vader, iets dat haar later te binnengeschoten is. Morgen weet ik het.'

In het licht van de koplampen doemde een manshoog reclamebord op. Het was van de wijnboerderij. Ze remden en lieten de koplampen het bord beschijnen. Eerst linksaf, moesten ze, daarna weer links en na een kilometer bereikten ze dan de toegangsweg.

'Laten we eerst maar bij het hotel kijken,' zeiden ze.

19

Ze aten in het hotel en waren niet eens de enige gasten. Dat kwam door een vakantiepark verderop, vertelde de ober. Hij voegde eraan toe dat hij de zoon van de eigenaar was. Het dorp was blij met de toeristen, de winkels waren weer levensvatbaar en de oude bakkerij was na jaren van leegstand gemoderniseerd en opnieuw in bedrijf gesteld.

Maar daarvoor waren Babs en Stan hier niet. Of ze ook konden overnachten en hoe de kamers waren. Stan ging boven kijken.

'Nou, Babs, dat wordt terugrijden naar die wijnboerderij,' kwam hij kort daarop melden. 'Koken doen ze hier prima, maar zowel de elektricien als de loodgieter zijn vast ook langgeleden weggetrokken. Misschien is de kamer inspirerend voor je verhaal over die jochies met die sfeer van de vroege jaren zestig, maar ik stel me een feestelijker omgeving voor.' Zijn gezicht sprak boekdelen.

'En wat doen we als de wijnboerderij het nog bonter weet te maken?' vroeg ze.

'Dan zoeken we die jeugdherberg op, weet je wel.'

Lachend liepen ze even later de deur uit naar de auto toe.

'Wiebelende tabaksbruine lichtknopjes, een eng mahoniehouten bed op kronkelpootjes en sanitair met barsten erin. Niets daarvan.'

'De badkamer in de flat van tante Hannelore is hartstikke modern,' zei Babs. 'Veel en veel mooier dan die in mijn eigen huis.'

'Hoe staat het daar eigenlijk mee? Staat het te koop?' vroeg Stan terwijl hij de autosleutels uit zijn jackzak opviste. Hij vroeg nog iets, wat Babs niet verstond omdat er opeens een vloedgolf van gedachten door haar heen ging. Dat huis, dat was waar ook! Ted woonde in de ene helft ervan, voor zover dat uitvoerbaar is in een gewoon huis. Op haar mails erover had hij eindelijk eens geantwoord. Dat hij met die eerdere makelaar geen zaken wilde doen, een aantal anderen had benaderd maar zijn keuze nog niet had gemaakt. Klinkklare onzin! Slap gedoe! Wat als zij over een krappe maand weer naar

Amsterdam kwam? Dan naderden de feestdagen. Dat werd gezellig. Konden ze de jongens met hun aanhang thuis uitnodigen. Vrede op aarde. Kom nou!

Ze stapte in de auto. 'Het leek me nogal eenvoudig,' zei ze. 'Hup, verkopen, spullen verdelen en elk van ons zorgt voor een nieuw onderkomen. Maar volgens mij heeft Ted nog helemaal niets gedaan. En tja, vérkopen mag goed lukken in Amsterdam, maar iets voor een schappelijke prijs te pakken krijgen niet. Alleen voor tijdelijk, dus dat zal het voorlopig wel worden...'

Ze reden weg.

'Ja, lastig is het,' viel Stan bij. Ook hij had een tijdelijke woonruimte. Het was een piepkleine studio, voor maximaal één jaar en in principe bedoeld voor buitenlandse werknemers van het moederbedrijf waaronder zijn afdeling viel. Het moederbedrijf was eigenaar van het pand.

Een prachtig historisch pand overigens aan een korte gracht, buiten de échte grachtengordel. Zijn studio was in het souterrain aan de achterkant, en keek uit op de tuin, die weliswaar smal en klein was, maar met een paar bomen en struiken die vogels lokten, waardoor hij toch zijn broodnodige stukje natuur onder handbereik had.

Bovendien mondde de gracht uit in de Amstel, die hem het gevoel van vrije ruimte gaf.

'Bleef jouw vrouw in jullie huis wonen?' vroeg Babs.

'Nee. Hé, volgens mij had ik daarnet rechtsaf moeten slaan.'

Ze keerden. Intussen vertelde hij dat het huis waarin hij met zijn gezin had gewoond, bij de scheiding direct was verkocht. Zijn vrouw huurde een flat, hij had een etage gekocht met het idee die op te knappen, een leuke klus voor een man alleen, een klus die nog geld kon opleveren ook, wat het nog aardiger maakte.

'Maar soms lopen dingen anders. Dit is trouwens wél de goede weg. Daarnet gingen we teveel naar het noorden terwijl we westelijk moesten. Maar goed, door het freelancen en kort daarna de ziekte van Tineke, ontbrak me de tijd om te gaan vertimmeren. En toen ik het spul na haar overlijden niet ongunstig kon verkopen, deed ik dat. Toch nog wat winst en... Hé, te laat!'

117

Dat laatste sloeg op de weg tegenover het reclamebord, waar ze hadden moeten afslaan. Ze reden achteruit terug en sloegen alsnog de smalle steenslagweg in. Het was aardedonker. Ze reden stapvoets en kozen bij een splitsing links.

'Het lijkt hier geen bewoonde wereld meer,' zei Babs, en ze vroeg zich stilletjes af of ze niet rechts hadden gemoeten. Ze zou het door dat aardedonker niet weten, maar wel dat ze in haar eentje subiet teruggegaan zou zijn.

'Ja, leuk dat eenzame,' zei Stan. 'We klimmen ook enigszins. Dat wijngeval ligt vast hoog tegen de helling. Er zal dan een prachtig uitzicht zijn. Volgens dat bord moesten we deze weg toch een kilometer lang volgen, hè?'

'Dat dacht ik wel,' zei Babs. 'Maar zouden we er dan niet al moeten zijn?' Ze vroeg maar niet of ze misschien rechtsaf hadden gemoeten, want ze herinnerde zich opeens dat op zo'n vraag van haar Casper een keer woedend was geworden, toen hij net zijn rijbewijs had en hij haar met zijn pas aangeschafte rammelende roestbak ergens naartoe bracht. Ted en de andere jongens hadden hem nog groot gelijk gegeven ook.

'Nee, zover zijn we nog niet, hoor. Ik schat dat we op de helft zijn. Waar zou jij trouwens het liefste wonen?'

'Ergens waar het niet zo stil is als hier,' ontviel haar. 'Ik denk dat je hier vermoord kunt worden zonder dat iemand dat merkt.'

'Dat denk ik ook,' zei Stan grinnikend.

'En of ik in Frankrijk zou willen wonen…' zei Babs, meer om haar gedachten af te leiden van wat er zich intussen allemaal aan gruwelijks kon afspelen buiten de bundel licht van hun koplampen. 'Het is heerlijk in Nice. Een fantastisch klimaat. Zalig voor vakanties. Maar om er te wonen? Dan moet je eerst de taal goed onder de knie krijgen, alleen al om gewone dagelijkse gesprekjes te kunnen voeren.'

'Het wordt lekker hobbelig hier,' zei hij. Hij gaf een ruk aan het stuur. 'Mooi, nét om die kuil heen.'

'Zou jij hier wel willen wonen?'

'Weet ik niet. Wel dat ik steeds vaker zal moeten reizen, dat bepaalt het ook voor een deel. Maar voor wie geldt dat tegenwoordig niet? Zoveel bedrijven trekken de wijde wereld in. We gaan bijvoorbeeld voor een zaadveredelingsbedrijf onderzoeken of ze in verband met de enorme ruimte die daar is in voormalige Oostbloklanden proeftuinen kunnen opzetten.'

'Dus moet jij daarheen?'

'Dat is te zeggen. Ik haal zoveel mogelijk informatie boven tafel, zoek de juiste mensen bij elkaar, maak een planning, en als ik wil ga ik er een kijkje nemen. Soms moet dat, soms kan een ander in mijn plaats gaan. We hebben nu wel een kilometer afgelegd, dus hier ergens moet die toegangsweg zijn. Ja, een bocht. En kijk, een muur.'

De koplampen scheerden langs een manshoge stenen muur met verderop een brandende lantaarn naast een nogal vervallen toegangspoort. Toen ze erin draaiden wees een serie ouderwetse lantaarns de weg.

'Ja hoor, een wijnboerderij. Precies zoals op de etiketten van wijnflessen!' riep Babs uit. 'Maar is het eigenlijk niet te laat om aan te bellen?'

Er draafde een blaffende hond op hen af.

'Aanbellen hoeft niet meer, al mag het wel,' merkte Stan op. 'We kunnen er zelfs nog na middernacht terecht. Alleen liever niet in de vroege uurtjes. Dat zeiden ze vanochtend toen jij je spullen pakte en ik ze voor informatie opbelde.'

Stapvoets reden ze door naar de boerderij. De hond stapte blaffend mee. 'We moeten achterom, want daar moet een deurbel zijn. Kennelijk heeft die hond niet altijd dienst.'

Babs giechelde. 'Ik zou zelf écht met een jachtgeweer in de aanslag opendoen…'

Maar dat deed niet de modieus geklede jonge vrouw op hooggehakte laarzen die in de verlichte deuropening verscheen. 'Hallo,' zei ze toen ze uitstapten, met tot Babs' verrassing een duidelijke Nederlandse *h*. 'Leuk dat jullie inderdaad zijn gekomen – als jullie tenminste de mensen zijn die vanmorgen opbelden. Voor Nederlanders buiten het hoogseizoen hebben we altijd ruimte. Welkom.'

Zo kwam het dat ze om middernacht met een jonge Nederlandse vrouw een ferm glas rode streekwijn dronken in een van de appartementen in de voormalige voertuigenschuur van de wijnboerderij. Er waren nog drie appartementen. Ze waren niet groot, maar van alle gemakken voorzien, en functioneel ingericht, met een paar grappige en zelfs luxe accenten. Wat te denken bijvoorbeeld van een antiek boerenklokje op de boekenplank boven het bed, een verrijdbare, in siersmeedwerk gevatte manshoge spiegel, en hypermoderne designkranen in de badkamer?

De bouw van de appartementen was het eerste dat de ouders van deze Petra hadden laten doen. Het kolossale *maison* werd komende winter aangepakt. Er kwamen kamers en zaaltjes in voor de trainingen en seminars die nu nog in de provisorisch in elkaar gestoken ruimten in de stal plaatsvonden.

Vier jaar geleden hadden ze alles wat ze in Nederland bezaten verkocht. Dat was toen Petra geslaagd was voor haar eindexamen middelbare school, nu was ze hier bijna klaar met haar studie.

Het beviel hun er best. Haar moeder deed de zakelijke contacten en organiseerde de trainingen en seminars, wat ook haar werk in Nederland was geweest. Haar vader kocht kunst en artistieke producten in voor hotels en bedrijven, en zijzelf runde de verhuur van de appartementen en deed wat er verder bij te pas kwam. De meeste drukte was toch als ze zelf ook vakantie had.

Ze lagen hier dus bepaald niet alleen maar te genieten van het zonnetje! Tot voor drie weken waren alle appartementen constant bezet geweest. Nu, in november, was het natuurlijk stil.

'Wat geweldig allemaal, maar ook wel zwaar. Vooral als je 's nachts nog met gasten aan de wijn moet,' had Babs opgemerkt toen het boerenklokje half een sloeg.

'Welnee. Ik studeer graag 's nachts. Lekker ongestoord. Ik was net de boel aan het klaarzetten. Maar nu laat ik jullie alleen,' zei ze. 'Hoe laat willen jullie ontbijten? Het staat dan in de keuken op een blad om mee te nemen. De keuken is onmiddellijk rechts als je door de achterdeur komt. Je ziet het vanzelf. Omeletje erbij? Met bacon? Of liever kaas? We doen het niet op z'n Frans met een stukje opgepiept stokbrood en wat jam.' Ze wees op de intercom bij de deur. 'Mocht je nog iets nodig hebben, bel dan. Ik ben nog ruim anderhalf uur aan het studeren. Welterusten!'

En weg was ze.

'Ongelooflijk,' zei Babs, in het rondkijkend.

Stan schoof de gestreepte oudroze gordijnen dicht, doofde het nogal felle badkamerlicht en knipte een van de bedlampjes aan.

'Het is net of ik thuis ben,' merkte hij met een grijns op, 'want daar is het maar een beetje groter dan hier, op de keukenhoek en badkamer na. Die zijn thuis toch wel redelijk fors bemeten. Maar het ziet er excellent uit. Die elektricien en loodgieter uit het dorp, hè, die waren hier natuurlijk zo druk bezig…'

'Fantastisch,' zei Babs. Ze prees zich gelukkig niet gezegd te hebben wat ze in de auto had gedacht. Dat het haar maar griezelig leek, zo'n afgelegen boerderij. Dat het vast maar een raar zooitje was, met een alcoholische dégéneré van een aristocraat met jicht en doodenge psychische afwijkingen.

Haar blik gleed nog eens langs het keukentje met de boerse tafel en stoeltjes, langs de bosjes gedroogde lavendel aan het plafond en het frambozenrode dekbed. Buiten kraste een kraai.

'Alleen maar stilte, hoor je dat?' merkte Stan op.

'Wel een vogel.'

'Die kraai? Die hoor je juist omdat het zo stil is…'

Ze luisterden. Inderdaad hoorde je nu niets. Helemaal niets. Nee toch, het geluid van een dichtklappend autoportier, maar houteriger.

Babs stapte op de spiegel af. 'Het is hier eigenlijk veel te bijzonder om te gaan slapen. Dat is zonde,' zei ze terwijl ze de spiegel wat verreed en achterover kantelde. Ze schoot in de lach. 'Ik hoop niet dat je hoorde wat ik zei…'

Toch herhaalde ze het.

'Zonde om hier te slapen…'

Ze zag zichzelf staan lachen in de spiegel. Stan verscheen grinnikend in beeld. 'We hebben de tassen nog in de auto staan,' zei hij. 'Ik haal ze even. Je ziet er trouwens mooi uit.'

'O,' zei ze.

'Is er nog meer in de auto wat je nodig hebt?'

'Nee' zei ze glimlachend.

Hoezo zie ik er mooi uit, dacht ze. Ze keek snel weer in de spiegel. Ze zag er inderdaad niet slecht uit. Was het de pashmina over haar schouders die haar doodgewone jeans hip en vlot maakte? Waren het die flonkerende jeansblauwe oorbellen? Of kwam dat door de hakhoogte van de grijze laarsjes?

Maar die deden niet haar wangen roze kleuren en haar ogen glanzen!

Dat komt door hem, dacht ze. Want wat een wonder dat we elkaar weer gevonden hebben. Dat we hier samen zijn. Dat hij mij leuk vindt. Dat zie ik meer aan zijn glimlach, dan ik het hoorde aan zijn woorden. Het is een heel speciale glimlach. Een die alleen voor mij is. Naar anderen, zoals Petra daarnet, glimlacht hij heel anders. Misschien is het wel een heel nieuwe glimlach, die niemand ooit gekend heeft, zijn vrouw niet en zijn kinderen niet.

Net zoals ik van mezelf weet dat ik me bij hem helemaal op mijn gemak voel, wat ik eigenlijk niet bij Ted had. Misschien omdat ik Ted altijd moest aansturen? De dingen niet aan hem kon overlaten?

Stan stapte met de tassen binnen. 'Prima dat we weggingen uit dat hotel, want wat is het hier leuk,' zei hij goedkeurend. 'Inderdaad zonde om te gaan slapen.'

Hij zette de tassen op de grond en sloeg zijn armen om haar heen. Van die korte tijd buiten rook hij naar de herfst. Een heerlijke geur, vond ze. Ze kroop weg tegen zijn schouder en drukte haar lippen tegen zijn hals. Ze kusten elkaar. Op hetzelfde moment droeg de stille nacht de eerste maten van pianospel aan. Ze haperden en begonnen opnieuw, en nog eens.

'Juist. Ze is aan het studeren,' stelde Stan vast. 'Piano…'

Het was de onvoorstelbaar diepe stilte die hen wekte. De bedlampjes brandden. 'Zijn we dan zomaar in slaap gevallen?' fluisterde Babs. 'We lagen toch te luisteren naar het pianospel?' Ze lag tegen Stan aan, hoog in de kussens.

'We moeten inderdaad hebben geslapen, het is kwart over twee,' bromde hij zacht.

Ergens klonk een geluid als van hout op hout. 'Dat kan wel eens de klep van de piano zijn. Petra vindt het kennelijk mooi geweest..'

Prompt sloeg de hond kort aan. Knarsende voetstappen, neuriën. Dat moest haar zijn, ze ging kennelijk nog een frisse neus halen voor het slapengaan. De hond blafte opgetogen.

Zij aan zij luisterden ze ernaar, zoals ze tevoren naar de pianomuziek hadden gedaan. Het was een verrassende ervaring geweest om te baden in een muziekgenre dat normaal gesproken niet hun voorkeur had. Muziek die ze niet konden uitzetten, maar waar ze zich niet aan stoorden – integendeel, het accentueerde juist hoe bijzonder het was om samen te zijn.

'We hebben toch écht geluisterd,' fluisterde Babs.

'Het was alsof ze speciaal voor ons speelde,' fluisterde Stan terug.

Dat ze fluisterden ging automatisch, uit een soort respect voor de peilloos stille nacht.

De voetstappen keerden terug. De hond blafte. Een deur viel dicht.

Ze schoven weer naar elkaar toe. Daar was weer de schouder waartegen zij kon wegkruipen. Daar kwam weer de arm die ze zoveel jaren van haar leven had gemist. Daar was ook de zachte warme huid die hij zich uit een ver verleden herinnerde. Een kleine hand die over zijn heup gleed, een stevig been dat zich over het hare voegde. Een mannenhand die het lampje uit knipte. Zo vielen ze opnieuw in slaap.

Een felle lichtbundel flitste door de kamer. Te fel voor een zaklantaarn, dat realiseerden ze zich meteen toen ze er door wakker schoten, en dat het een auto was omdat de motor werd uitgedraaid. De gedempte stemmen, van een vrouw en een man. Twee portieren die dichtgeslagen werden en de klik van het op slot zetten.

De hond sloeg niet aan, het moesten Petra's ouders zijn. Voetstappen, opnieuw gedempte stemmen en kort het geluid als van een

vuilcontainer met rammelende flessen erin die een eindje werd weg-
gerold. De deur die openging en dicht, en weer de stilte.

Het was drie uur, en weer fluisterden Babs en Stan niet meer dan
een paar woorden.

Ze draaiden zich op hun zij. Zij schoof naar achteren, naar hem
toe. Hij drukte zich tegen haar aan. 'Slaap lekker,' zeiden ze.

Maar Babs wilde niet slapen. Niet omdat het zonde was van de
mooie kamer, maar omdat een kostbaar moment als dit niet verloren
mocht gaan. Ook Stan lag met gesloten ogen wakker. Het zal wel
in orde komen met ons, dacht hij. We moeten bij elkaar blijven. Hij
streelde haar schouder, gaf zacht een kus in haar haar en hoorde dat
ze zachtjes zei dat ze maar bij elkaar moesten blijven. Ze kon toch
niet zijn gedachten horen? Of kon dat in heel speciale gevallen wél?
Zoals nu?

Na een poosje vielen ze toch weer in slaap.

Of niet?

Een kat krijste door de nacht. Kraaien krasten. En er was het geluid van vallend hout. 'Een krolse kat. Vast op het haardhout onder
dat afdak, want dat hoor je, er glijdt daar hout weg,' fluisterde Stan.
Weer dat krijsen, maar nu van twee, nee, drie kanten. Binnen blafte
de hond. De stilte na dat alles was diep als het heelal. Of vloog daar
heel ver weg of hoog een vliegtuig door de nacht?

Babs draaide zich op haar andere zij. Hun neuzen raakten elkaar.
Ze moesten er zachtjes om lachen terwijl ze elkaar kusten. Haar
hand gleed over zijn schouder naar zijn rug. Een man voelt sterk en
harder dan een vrouw, besefte ze weer. Ook dat zijn hand, die over
haar heup gleed naar haar bil, veel groter was dan ze gezien had,
sterker aanvoelde ook en vooral veelzeggend was. 'Ja,' fluisterde
ze, 'toe maar.'

Een vogel floot vlak bij hun oren. In de schemering was te zien dat
het raam toch echt niet openstond. Er was ook geen schoorsteen
waardoor de vogel naar binnen was komen vliegen. 'Een roodborst-
je,' fluisterde Stan. 'Dat zingt het hele jaar door om zijn territorium
te verdedigen. Hij is er vroeg bij.'

'Of zij,' fluisterde Babs.

'Nee, het zijn de mannetjes die zingen.'

'Ik heb jou nog niet gehoord,' plaagde ze.

Hij neuriede een wijsje dat nog het meest leek op 'Zie ginds komt de stoomboot'.

Ze lachte. Toen gingen ze nog maar een uurtje slapen.

Net toen ze wegdoezelden, snerpte het wekalarm van Babs' telefoon, schril en scherp alsof de hele wereld het moest horen. Ze sloegen verschrikt hun handen voor hun oren. Hemel, waarom was ze gisteren in godsnaam al om half zeven opgestaan? Omdat ze om half twaalf op het vliegveld wilde zijn? Half twaalf! Absurd!

Maar was dat eigenlijk wel gisteren?

Ze legde haar hoofd tegen zijn schouder. Zijn arm gleed al om haar heen. Daarna werden ze pas gewekt door de zon in de kamer.

20

Babs was er bepaald niet voor in de stemming, toch moest ze de volgende middag bellen met Heleen. Afspraak is afspraak. In de auto toetste ze het nummer in nadat ze hadden geluncht met een *croque-monsieur* bij een espressobar. Meer dan die Franse tosti hoefde niet na het riante ontbijt. Maar omdat het nog een paar minuten te vroeg was, drukte ze nog niet op het knopje voor 'verbinden'.

Eerder hadden ze een korte rit langs een schitterende kleine maar diepe kloof gemaakt en een even korte wandeling langs een berghelling, waar ze lyrisch over was. Wat een schitterend uitzicht, wat een kleuren waren er in het landschap en hoe paste de gesluierde hemel bij de contouren van de bergen en het roze en grijs van de rotswanden. En steeds dreef er wel de geur van een houtvuurtje aan.

'Dat bedoel ik nou met dat er altijd wat te zien is als je buiten de stad loopt,' zei Stan. Terloops wees hij op twee roofvogels die zonder ook maar één wiekslag langs een helling zweefden.

Via allerlei bergweggetjes waren ze langzaam maar zeker weer in zuidelijke richting op weg naar Nice. Want, helaas, Stan moest om uiterlijk zeven uur op het vliegveld zijn.

Nu stonden ze vanwege die *croque-monsieur* geparkeerd langs een soort stadswal van grote grijze keien. Stan liep verderop, langs het lage muurtje waarachter, beneden, een riviertje stroomde.

Babs keek naar hem. Hij leunde met zijn handen op het muurtje en keek wisselend naar beneden en in de richting van de brug verderop, waar een watervalletje leek te zijn.

Ontdekte hij ook daar iets bijzonders? Groeiden er plantjes op de keien of keek hij gewoon naar het kolken van het water en vroeg hij zich af waarom dat dáár en niet verderop gebeurde?

Als Heleen nu maar geen rare dingen te melden had. Babs zocht met haar ogen steun bij Stan. Hij ging juist weer rechtop staan en haalde zijn hand door zijn haar. Zijn suède jack hing open. Hij keek nog eens links en rechts en wandelde toen door.

Opeens begon haar hart bang te bonzen. Als ze deze prachtige man maar niet kwijtraakte. Stan was een vrije vogel! Hij kon zijn draai niet vinden in het keurslijf van regels in het onderwijs. Hij voelde zich happy als freelancer en ook het opbouwen van de nieuwe afdeling van het bedrijf paste hem als een lekker oud jasje, zoals hij zelf zei. Als die afdeling eenmaal naar tevredenheid functioneerde zocht hij wel weer een nieuwe uitdaging. Ook dat zei hij. Hij had uitdagingen nodig. Van tien jaar werken bij dezelfde baas zou hij gek worden. Er waren teveel leuke, nieuwe dingen om je mee bezig te houden. Bleef hij dan wel bij haar? Zouden ze wel echt een relatie krijgen en zou die hem dan niet benauwen maar blijven boeien?

Waarom bestond verdorie die Heleen? Waarom was zijzelf zo braaf geweest om die stomme aantekeningen van haar moeder serieus te nemen, zo serieus dat ze op onderzoek was gegaan?

Stan kwam terug. Bij het muurtje bleef hij op dezelfde plek als daarnet staan. Hij krabbelde eraan en bekeek iets op zijn hand. Was het een stukje mos of van een plantje? Nu wandelde hij terug naar de auto.

Ze wuifde eventjes naar hem, hij wuifde lachend terug.

Welnee, dacht ze, waarom zou Stan uit mijn leven verdwijnen? Daar ben ik toch zelf bij? Hij is juist behoedzaam en zorgvuldig. 'Jij kwam indertijd op mij af op die nieuwjaarsreceptie,' had hij de vorige dag in de auto gezegd. 'Dat vond ik leuk, net als die paar lunchafspraken toen. Je was terughoudend, maar ik zag best dat je me wel mocht. Dat liet een goed gevoel bij me achter. En dat gevoel miste ik volledig bij de vrouwen die later op mijn pad kwamen. Bij *Mon Manon* was dat gevoel er meteen weer. Mijn vrienden bevestigden mijn idee dat het helemaal mis is als je bij een nieuwe kennismaking het gevoel krijgt dat je je moet haasten. Er moet juist een soort rust en vertrouwen zijn dat het wel goed komt.'

Een zucht ontsnapte haar. Vandaar dus…

Het was tijd om te bellen. Ze pakte haar mobiel.

Vrijwel meteen werd er aan de andere kant opgenomen, maar het bleef stil. Babs meldde zich nog maar eens duidelijk toen ze een moeizame ademhaling leek te horen. 'U houdt hem verkeerd om,' klonk het ver weg. En opeens sprak daar Heleen, nadrukkelijker articulerend dan Babs zich van haar herinnerde.

Ze hield het kort, zei ze. Niet alleen omdat bellen vanuit Nice ongetwijfeld kapitalen kostte, maar ook omdat praten te vermoeiend was zonder voldoende adem.

'Mijn hart pompt niet goed meer, Babs. Het is moe na zoveel jaren. Er zit vocht in mijn longen. Er is geen plaats voor zuurstof.'

Ze hijgde.

'Wat ik je nog wilde zeggen, sprak ik in op een bandrecorder. Zin voor zin. Een vondst van de zuster. Ik ben haar dankbaar. Wat een praktisch inzicht. Het bandje wordt je toegestuurd. De zuster komt straks aan de lijn voor je adres.'

Babs schraapte haar keel. Hoeveel dagen duurde het niet voordat die woorden bij de post zouden zijn? 'Het moet wel iets heel speciaals zijn dat u het niet bij onze ontmoeting wilde of kon zeggen. Ik ben natuurlijk erg geïnteresseerd. Gaat het over mijn vader?' vroeg ze.

Even was er niets dan het hijgen. 'Niet speciaal. Je hoort het op de band....'

Babs fronste haar wenkbrauwen. Ze mocht toch wel al meer weten!

Stan lachte haar toe vanaf zijn plekje tegen de stadswal waar het grijzige zonlicht viel. Ze kon niet anders dan teruglachen, en als je lacht kun je niet langer zorgelijk zijn. Daarom zakte de aanvechting weg om Heleen om duidelijkheid te vragen. Bovendien gaat het in mijn leven niet om mijn moeder of Heleen, schoot het door haar heen. Het gaat om nú, om Stan en mij, om ons heden en onze toekomst.

'Spreken is erg vermoeiend, hè?' zei ze daardoor vriendelijk.

'Maar het stemt tevreden. Door wat ik insprak,' hijgde Heleen, 'laat ik toch iets... een stukje waarheid op de wereld achter... Dag... Babs Vierhoef...'

Nog voor Babs zich kon afvragen hoe je een gesprek beëindigt met iemand die niet lang meer te leven heeft, klonk de stem van de verpleegkundige die haar adres vroeg.

En zo laat ik toch een stukje waarheid op de wereld achter, en zo laat ik toch… een stukje…, herhaalde ze in gedachten terwijl ze haar adres spelde en het gesprek afsloot.

Ze stapte de auto uit. En zo laat ik toch een stukje waarheid op de wereld achter, en zo laat ik toch… een stukje…, dacht ze weer.

'En wat zei ze?' vroeg Stan toen ze naast hem stond in de zon.

Ze vertelde het.

'Een stukje waarheid,' herhaalde hij. 'Dat maakt je niet veel wijzer. En nu?'

De muur gaf een koesterende warmte af. Van verderop klonken wat verkeersgeluiden, dichtbij klaterde het water. Ze leunde tegen zijn schouder.

'Weet je,' zei ze, 'ik weet zeker dat ik dat stukje waarheid niet ben. Mijn gevoel heeft het me steeds weer gezegd en doet dat ook nu weer. En op mijn gevoel vertrouw ik.'

Er heerste nu een echte zondagsdrukte op de wegen, ook al omdat ze langzamerhand de snelweg naar de steden aan de Côte d'Azur naderden. Eenmaal in Nice wilden ze eerst Babs' tas bij de conciërge afgeven, om vervolgens bij de luchthaven de auto in te leveren en daar een hapje eten voor Stan door de douane zou gaan.

Ze voegden nu inderdaad in op de snelweg. Wat is er ongelooflijk veel gebeurd in dit ene weekend, dacht Babs. Stan en ik werden vrienden. We zoenen. We durfden te vrijen. En we zien ernaar uit om in Amsterdam van alles samen te ondernemen.

Binnen in haar welde het gevoel op dat alles wel goed zou komen. Wat Heleen te zeggen had, kon iets doodgewoons zijn. Het huis in Amsterdam raakte wel verkocht, ze vond natúúrlijk woonruimte en het nieuwe werk zou wennen. Vanzelfsprekend vereiste alles inzet van haar kant, maar dat was normaal. En in het leven waren er ook meevallertjes. Dat ze in Nice terecht was gekomen, had ze toch ook niet kunnen denken? Laat staan dat Stan en zij elkaar zouden terugvinden.

'Jammer dat het nu een poos duurt voor we elkaar weer zien,' zei ze.

'Zeg dat.'

'Gelukkig kunnen we bellen en mailen.'

'En sms'jes sturen.'

'Pas over een maand kom ik terug…'

'Een maand waarin je nog heerlijk kunt genieten. Mijn agenda zit helaas dichtgemetseld tot de week voor kerst. Dit was echt het enige vrije weekend… '

'Ja, je hebt gelijk, ik heb nog een hele maand vrij. Zeg maar vakantie. Dat zou ik bijna vergeten. Maar die cursus moet écht af! En ik wil per se nog wat kleding naaien. Als ik eenmaal weer werk, komt het er vast niet van. Er zijn hier zulke prachtige stoffen te koop.'

En ik heb een heleboel aan Joke te mailen, dacht ze. Er schoot haar iets te binnen.

'Bastiaan komt aanstaand weekend! Vind je het trouwens niet vreemd dat ik tussentijds niet even naar Amsterdam vloog om de kinderen te zien?' vroeg ze.

'Voor die paar maanden? Welnee, het zijn toch volwassen mensen.'

'Echt missen deed ik de jongens niet,' bekende ze. 'Maar dat komt natuurlijk omdat we zo vaak mailen en bellen!' zei ze er haastig achteraan. 'Natuurlijk zou ik best even bij ze willen zijn. Als het ware even aan ze willen snuffelen. Maar ze zijn bezig. Ze hebben hun eigen dingen aan hun hoofd. Ze zijn al zolang in hun eigen wereld. Vrienden, sporten, kroeg, weekendje zus, avondje zo. Als moeder draai je op een bepaald moment de knop om. Geen bemoeienis meer mee hebben, alleen als ze het zelf vragen! En Arthur en Casper hebben bovendien ook nog het huishouden… Bastiaan heeft geen vriendin. Voor zover ik weet tenminste. Maar heeft hij vast geen gelegenheid voor. Hij woont maar de helft van de tijd in Nederland.'

'Hero heeft wel een vriendin. Zij woont in Nederland, hij in India… Ze is in haar zomervakantie naar hem toegevlogen. En ik geloof dat ze elkaar met kerst ontmoeten in Londen, daar heeft zij gewerkt.'

'En kerst in Londen is natuurlijk héél speciaal!'

Ze lachten.

'En je dochter?'

'Hester? Die laat nogal eens een nieuw vriendje proefdraaien…'

'En dan ruilt ze hem toch voor een beter exemplaar?'

'Zoiets. Hé, hadden we niet die afslag naar de andere snelweg moeten hebben?'

'Wel als we niet eerst mijn tas wegbrengen. Nu gaan we de stad door. Wat overigens véél leuker is. We komen langs die wijk waarover ik vertelde, met al die leuke winkeltjes, die nu natuurlijk gesloten zijn, en uiteindelijk langs de haven.'

Ook nu loodste ze Stan door de stad naar haar straat, net als de vorige dag. Ze parkeerden er *en double file*, dubbel, waardoor ze de vragen van de conciërge met een druk armgebaar naar de straat kon afwimpelen. Er werd inderdaad al geclaxonneerd.

'Ik zat net te bedenken,' zei Stan toen ze weer ingestapt was, 'dat ik naar de zaak zou willen mailen dat ik wegens familieomstandigheden een week in Nice moet zijn. Maar ik heb mezelf ermee. Hoe is de uitdrukking ook al weer?'

'Het werk gaat voor het meisje. Maar in Amsterdam zien we elkaar weer…'

'Ja, dan pas!'

'En hoe zal dat gaan?' mijmerde Babs hardop. Ze zag hen tweeën al fietsen door de stad, op weg naar een kroegje of de film. 'Hier links blijven rijden,' zei ze nog net bijtijds. 'Ik zal beter opletten, want door het eenrichtingverkeer… Ja, nu linksaf.'

Slapen we in Amsterdam bij elkaar, dacht ze. En is dat bij Stan of in mijn huis? Zou Ted intussen eindelijk een makelaar… 'Bij de volgende kruising rechtdoor gaan, ook al gaat iedereen rechts.'

Als je verliefd bent, wil je zo vaak mogelijk bij elkaar zijn, dacht ze. Maar we zijn natuurlijk geen twintigers meer. Wij zullen er wat kalmer mee om kunnen gaan. Hoewel… Ze keek steels naar opzij, maar net toen Stan haar opnam. Ze lachten.

'Weet je dat ik toen een heel klein beetje verliefd op je was,' zei ze opeens.

'O ja?!'

'Zoals je daar stond op die receptie. Ik vond je meteen leuk. Ie-

mand om over te dromen en fantaseren, want daar moest het natuurlijk bij blijven.'

Hij lachte hartelijk.

'Gelukkig vond ik jou ook erg leuk.'

'Ja, dat is nú gelukkig. Maar het zou toen een drama zijn geworden. Ik met Ted en jij met Tineke. Een geluk bij een ongeluk dat jij
niet verliefd was en dat het wegzakte.'

'Dat ik niet verliefd was… Wat weet jij daar nu van?'

'Jij vond mij gewoon leuk.'

'O, vond ik dat. Zeker net zoals jij een heel klein beetje verliefd
was. Inderdaad, daar kunnen twee volwassen mensen wel overheen
komen. En ja, dat lukte.'

'Rechtdoor blijven rijden!' riep Babs nog net op tijd. Tegelijk
schoot ze ontzettend in de lach om wat Stan zei, maar nog meer omdat haar bekentenis van iets precairs iets humoristisch maakte.

'Bij de volgende stoplichten rechts,' zei ze nog nalachend. 'En
dan zijn we op de Promenade des Anglais en is het een kwestie van
rechtdoor rijden naar het vliegveld.'

Op de Promenade moesten ze een stukje stapvoets rijden, wat
geen straf was met die schitterende paleisachtige hotels met in livrei
gehulde wachters bij de trappen.

'En toen werden we gewoon weer opnieuw verliefd op elkaar,'
zei Stan.

'Maar je liet je niet opjutten…' plaagde Babs.

'Jij ook niet.'

'Ik ook niet?'

'Je hield het heel duidelijk vriendschappelijk.'

Wel met man en macht, hoor, wilde Babs zeggen, maar dát slikte
ze nog net in.

'Je ging niet flirten,' vervolgde Stan. 'Je deed geen suggesties,
hief niet theatraal je gezicht voor afscheidskussen, ook gisteren niet.
Terug bij de auto dacht ik toen…'

Het is nu of nooit… schoot het door Babs heen, maar dat zei hij
niet, kennelijk vond hij wat hij toen dacht logisch, anders waren ze
toch niet gaan kussen?

Ze waren bij de luchthaven. Stan parkeerde een stukje voorbij het kantoor van de autoverhuur onder een dikke palm met kolossale bladeren. Het was bewolkt en aardig donker onder die bladeren. Je rook er trouwens de kerosine van de startende vliegtuigen, die met veel lawaai weg taxieden. Ze omhelsden elkaar.

'Ik wil nog even heel goed naar je kijken,' zei Stan zacht. Hij streek met zijn wijsvinger langs haar wenkbrauwen en daarna over haar neus en haar lippen. Hij tikte zachtjes tegen haar ene oorbel. Ze glimlachte en toen ze haar ogen weer opende, keek ze een tijdlang in zijn glanzende ogen.

'Je ogen lijken nu een beetje bruin,' zei ze ten slotte. 'Hoewel, er zit een zweem van groen in. Of is het grijs?'

Grijsgroen, vond hij zelf. Dat vermeldde vroeger ook zijn paspoort.

'Daarom staat dat jack je zo goed. En die sjaal erbij.'

Hij grinnikte. 'Net als mijn haar.' Hij streek door het hare. 'Ook jouw hoofd staat vast erg mooi bij me.'

'Heb je toevallig een foto van jezelf bij je?' vroeg ze.

Hij zocht tussen de papieren in zijn portefeuille. 'Hier. Samen met Hero op zijn afscheidsfeestje toen hij naar India ging. Ik mail nog wel wat andere.'

Ze keek ernaar. Stan stond met zijn arm om de schouder van een jonge knul in een open shirt met een vlaggetje in zijn hand. Andere mensen op de achtergrond.

'Hou deze maar. Heb jij er ook eentje?'

'Alleen een pasfoto. Maar ik zal je een paar leuke mailen.'

Ze diepte de pasfoto op uit de agenda in haar tas. Hij vergeleek hem met de werkelijkheid. 'In het echt ben je veel mooier.'

'Natúúrlijk,' zei Babs met een schaterlach.

'Het is waar!'

'Omdat ik nu gelukkig ben.'

'Toen niet?'

'Zeker bij iets dat zo frustreert als het maken van pasfoto's?'

'Hoe dat zo?'

'Nou ja, met dat grijze haar. En je weet tevoren al dat je er oud en armoedig op bent.'

Ze sloeg haar hand voor haar mond. 'O, Joke moest me eens horen!'

Het gezicht van Stan was een groot vraagteken. 'Grijs? Oud? Armoedig? Nee, absoluut niet. Je bent nu alleen mooier. Je straalt!' Hij bekeek nog eens met verwonderd opgetrokken wenkbrauwen het footje in zijn hand.

'Laat maar,' zei ze lachend. Ze kuste hem gauw. En nog eens.

Toen reden ze een stukje terug om de auto op een van de gereserveerde plaatsen voor het kantoor te parkeren.

Stan grijnsde opeens. 'Zal ik jou nu wat bekennen?'

'Ook over foto's?'

'Nee. Maar na het vriendenweekend ben ik hier het een en ander gaan informeren voor ik terugvloog. Ik was vast van plan om met jou een weekend door te brengen in het gebied waar ik toen net gelopen had. Ik wilde het goed voorbereiden. Vandaar dat ik weet waar we straks een hapje gaan eten.' Hij wees naar het gebouwencomplex. 'Dat is daar. Maar eerst de auto afhandelen.'

21

Wat stond er in hemelsnaam op het cassettebandje van Heleen? Babs stond met het ding in haar hand bij de geluidsinstallatie van Tante Hannelore – waar géén cassetterecorder ingebouwd in zat. Het apparaat was *up to date* en dat waren bandjes feitelijk niet meer.

Thuis had Babs wel een cassetterecorder. Oeroud weliswaar, maar het ding werkte in elk geval. Alleen was dat in Amsterdam, en niet hier in Nice.

De conciërge bezat er ook geen. Maar de Engelsen wel, alleen was die opgenomen in hun bakbeest van een installatie die met een warwinkel aan kabels in een te krap kersenhouten kastje gestouwd stond. Uiteindelijk kocht Babs een idioot futuristisch vormgegeven draagbaar radiootje met cassetterecorder.

Ze las de gebruiksaanwijzing, ging er met pen en papier voor aantekeningen bij zitten en drukte de aan- en uittoets in. Daar draaide het bandje achter zijn plastic ruitje. Gespannen spitste ze haar oren.

Gekraak, nog eens gekraak, en een tel raasde er in een noodtempo een totaal onverstaanbaar hoog stemmetje de kamer door. Het schuifje aan de zijkant van het apparaatje moest dus toch op stand twee. Nu schreed een loodzware basstem op stroperige dicteersnelheid door de kamer.

Zo kon je vijf minuten uren laten duren!

Babs bestudeerde de gebruiksaanwijzing van het apparaatje opnieuw. Vervolgens de technische gegevens op de cassette van het bandje. Die twee strookten niet, zoveel was duidelijk. Om haar ongeduld te temmen maakte ze een kop espresso.

Gespannen over wat ze te horen zou krijgen was ze intussen allang niet meer. Dat is het voordeel van een nieuw probleem, dat doet het oude verbleken.

Ze begon opnieuw. Helaas.

'Er zit niets anders op dan te luisteren naar dat slakkentempo,' mompelde ze. 'Ik kan intussen wel de zoom naaien in... Hé, nee, wacht... de laptop! Ik tik het tegelijk in. Dan kan ik het nog eens teruglezen.'

Ze startte al de laptop, opende een nieuw document, gaf het de naam 'Heleen' en drukte de toets met 'play' erop in. Lettergreep na lettergreep tikte ze in. Met deze minibouwsteentjes zou er een geheim onthuld worden! Want dat het ging om iets waarover lang gezwegen was, dat waren de eerste woorden die zich als door stroop voortsleepten door tante Hannelores huiskamer. En telkens als Babs meende te weten hoe het vervolg van een zin zou worden, kwam er een wending en werd het weer anders. Pas toen ze eindelijk de tekst achter elkaar op het beeldscherm las, drong de betekenis tot haar door.

'Iets wat je verzwijgt, maak je tot een geheim. In die zin is wat ik hier vertel een geheim,' las ze. 'Een geheim dat enerzijds in de tijd meer en meer ging slijten. Dat me anderzijds toenemend bedrukte. Want leefde ik in de huidige jaren, dan was er van een geheim nooit sprake geweest.'

Hier had ze een witregel ingelast in de tekst omdat er vrij lang alleen ademzuchten klonken. Zelf kon ze snel doorlezen.

'Dat drong tot me door bij het gesprek met jou, Babs Vierhoef. De dagen van nadenken daarna waren voor mij een anticlimax. Een verlammend gevoel van droefenis dat niet mijn laatste dagen op aarde mocht vergallen. Dat ik moest omvormen tot iets dat me deugd in plaats van verdriet deed.'

Weer zo'n witregel.

'Al denkend rees de wens in me op om nogmaals met je te spreken.'

Een witregel.

'In de jaren waarin ik een jonge vrouw was, was er in de hogere klassen zelden sprake van romantische liefde tussen man en vrouw. Zij waren een goede partij voor elkaar. Dat vormde hun leven. Ze leerden van kind af hun gevoelens opzij te zetten. Je hoefde niet alles te hebben. Je leerde dat je geluk lag binnen de beperking. Je paste je aan om geen verstotene te worden. Ik ben negentig, dat moet je niet vergeten.'

Witregel.

'Babs, herinner je even wat ik je over mijn leven vertelde.'

Witregel.

'Ik vertel jou dit omdat je de dochter bent van Frans. Wat je weet van hem en mij, zal hiermee begrijpelijker worden.'

Babs las snel door, maar met opgetrokken wenkbrauwen van verbazing. Ze had al tikkend de betekenis van deze woorden gemist. Hoe kon dat?

Juist! Het was de ouderwetse manier van uitdrukken die de betekenis versluierde.

'Met Frans had ik een intense relatie,' las ze verder, 'die vooral hij beurtelings vierde en betreurde vanwege zijn eerder gedane trouwbeloften.'

Met mijn vader dus, dacht ze. Nee! Met Frans, de jonge man die na jaren mijn vader zou worden. Dat maakt nogal verschil. Prompt verdween het ongemakkelijke gevoel dat ze haar neus in andermans zaken stak.

Ze las snel verder.

'Toen er door het zomerseizoen geen balletvoorstellingen meer waren die mijn bezoeken rechtvaardigden, en toen Frans vader ging worden, kwam er een einde. Dat er ook moederschap voor mij in het verschiet lag, heeft hij nooit geweten.'

Las ze te snel? In verwarring las Babs de alinea nog eens. Dus haar eigen ouders zouden een baby krijgen, maar ook Heleen. Een gedachte flitste door haar heen. Stel dat de zwangerschap van haar moeder op een miskraam was uitgelopen. Dan had het buitenechtelijke kindje van Heleen bij de biologische vader en zijn vrouw weggemoffeld kunnen worden.

Nee, dacht ze, met een uitroepteken erachter. Ze was het kind van haar vader en moeder. Punt uit. En ze las verder.

'Door het ontbreken van huwelijksverkeer tussen mijn echtgenoot en mij, was mijn zwangerschap zeer ongewenst. Babs…'

Een witregel.

'Na de dood van mijn man heeft een lieve huisvriend van ons beiden me, door verdriet overmand, verteld dat hij en mijn man geliefden waren. Mijn echtgenoot was in hedendaagse taal homoseksueel. Een kind was dus juist de dekmantel bij uitstek geweest voor wat hij niet wilde openbaren.'

Babs las ijlings verder. Tegelijkertijd schoot het door haar heen dat Heleen 'was geweest' zei.

'In een kuuroord verloor ik wat mij lief ging worden. Oftewel, in hedendaagse taal, daar onderging ik een abortus. '

Juist. Zie je wel dat ze het bij het rechte eind had!

Ze las verder.

'De ingreep leidde tot een levensbedreigende ontsteking. Door de operatie die mijn leven redde, zou ik kinderloos blijven.'

'Zie je wel!'

Van opluchting riep Babs het uit. Opluchting omdat ze even getwijfeld had of ze wel blind kon varen op haar gevoel. Nu wist ze het zeker – ze kon haar innerlijk weten altijd en altijd weer vertrouwen.

Na een bijna eindeloze zucht begon ze die alinea opnieuw te lezen.

'De ingreep leidde tot een levensbedreigende ontsteking. Door de operatie die mijn leven redde, zou ik kinderloos blijven. Duid dit minder zwaar dan men heden ten dage doet. Ons conformeren aan de omstandigheden was een tweede natuur. Evenals het voorbijgaan aan gevoelens. De rede beschermde de mens. Wie zich overgaf aan het gevoel raakte op drift.'

Babs plaatste alsnog een witregel.

'Ik richtte me op de cultuur, bestudeerde de geschiedenis van de dans, had spreekbeurten in het land. En omdat ik niet bang was voor een nieuwe zwangerschap, gunde ik het me ver van huis om plezier te hebben met een man naar mijn keuze.'

Op het beeldscherm stonden nu nog maar twee alinea's.

'Het lijkt een onvervuld leven. Zo zal menig tijdgenote mijn kinderloosheid benoemd hebben. Het moederschap was immers de bestemming van de vrouw. Maar ik was gelukkig…'

De laatste alinea.

'Ik laat geen kinderen na. Maar wél een geschiedenis, door jou dit te vertellen. Dank, Babs, dochter van Frans Vierhoef, dat je vlak voor mijn dood opdook. Door jou dit te vertellen, heb ik mijn leven recht gedaan.'

Handig dat het verhaal van Heleen in de laptop zat. In één muisklik verstuurde Babs het als bijlage naar Stan, en ook naar Joke. 'Moeder was moeder' stond er in de onderwerpregel.

'Zie zo,' mailde ze aan Joke, 'dat is de wereld uit. Je leest het in de bijlage.' En vervolgens schreef ze uitgebreid over het weekend met Stan, waardoor ze er zelf ook nog een keer van genoot.

Het antwoord van Joke was dit keer kort, want ze was druk met het overbrengen van de niet-verkochte tentoonstellingsstukken naar een nieuwe galerie. Daar had een kunstenaar verstek moeten laten gaan, en door het artikel in het kunstblad hadden ze haar uitgenodigd.

'Zo werkt dat,' schreef ze. 'De een zijn dood… Ik verkocht twee schilderijen, en er is daar ruimte voor nog drie extra. Die heb ik in mijn atelier, maar niet ingelijst. Je snapt…'

Toch schreef ze er nog onder dat ze na de drukte hoognodig een paar broeken in een kleinere maat moest gaan kopen. Babs schoot in de lach omdat ze opeens weer de brede achterkant van Joke voor zich uit zag op de fiets.

Stan belde op. Door zijn heerlijke basstem verdween de hele kwestie met Heleen van de aardbodem. Hoe het voor Stan in Amsterdam was, dát was belangrijk. Of het er niet gemeen waterkoud was. Of hij eigenlijk zelf kookte of buiten de deur at. En waarmee was hij bezig, met vergaderen, informatie verzamelen, begrotingen maken, en had hij al beslist of het nodig was dat hij zelf naar dat project ging in… welk land was het ook alweer… in het voormalige Oostblok?

En dan maar weer luisteren naar zijn stem. Ze koesterde zich erin en lette eigenlijk nauwelijks op de inhoud van zijn woorden. Toen ze zich daarop betrapte, concentreerde ze zich beter.

Juist, hij had een hapje gegeten bij een bevriende relatie thuis, in de Jordaan. Leuk hoor, daar. Maar niets voor hem. Zo klein als die etage was en door het smalle straatje zo dicht op de overburen. Je kon als het ware op hun tafel zien wat de pot schafte.

Die vriend had dan ook een vakantiehuisje in Friesland om naar uit te wijken, maar door het slechte weer... Het bekende verhaal, dan maar liever naar het zuiden. Door Stans lyrische woorden over het natuurgebied waren ze gelijk gaan zoeken op internet.

Afijn, een ruim park gevonden zonder prettoestanden, tamelijk schaduwrijk, eenvoudige huizen. Dertig kilometer van Nice, via dezelfde snelweg die zij hadden gepakt, een halfuur rijden van zee. Het plaatsje heet Sainte Marie du Var.

'Kun jij daar eens een kijkje gaan nemen? Er staat namelijk een huisje te koop, en als die vriend van me hun huidige verkoopt, houdt hij flink over voor een serie vliegretours per jaar.'

'Of ik daar een kijkje wil nemen? Ja, natuurlijk. Leuk. Er rijdt in elk geval een bus heen, dat weet ik van de bestemmingsborden, maar ik kan ook een auto huren. Ik zie wel. Het wordt na het weekend, want dan komt Bastiaan.'

Aan Bastiaan vertelde ze het verhaal van Heleen. Hij vond het maar matig interessant. En ze was toch niet zo gek geweest om eraan te twijfelen dat oma haar moeder was? Anders had ze het hém maar moeten vragen, want ze liep op precies dezelfde manier als oma, met van die lange passen en zo'n rechte rug, met haar gat naar achteren.

'Echt? Wat vreselijk!'

'Waarom vreselijk? Zo loop je nu eenmaal. Oma liep toch niet idioot of zo?'

Wat hem betreft was de kous af, maar Babs nam zich voor steeds goed in etalageruiten te kijken. Met haar gat naar achteren. Nee toch!

Het weer was dat weekend ronduit slecht. Het regende, onweerde en was maar twaalf graden.

Lekker temperatuurtje, vond Bastiaan, want in Nederland viel natte sneeuw en was het maar 3 graden. Prima weer voor musea, en die waren bij wijze van spreken om de hoek te vinden.

Dat ze regelmatig haar telefoontje checkte op sms'jes had Bastiaan snel in de gaten.

'Een leuke Fransman opgedaan?'

'Nee, een Nederlander.'

'Vertel eens wat meer.'

Dat deed ze, zo kort mogelijk.

'En jij?' vroeg ze.

Hij haalde zijn schouders op. 'Voorlopig nog niet. Dat bindt maar en de wereld is groot.'

'En je bent jong genoeg.'

Dat vond hij zelf nu net niet. Hij moest trouwens nog een paar dingen op internet checken en opende zijn laptop.

Zo is het met jongens altijd, dacht Babs. Nooit eens lekker doorkletsen. De cape die ze naaide, wekte ook alleen maar beleefde belangstelling op. Terwijl hij zo goed ging lukken, de parelgrijze stof zo soepel viel, de capuchon zo'n charmant accent was en, niet te vergeten, de blinde sluiting inderdaad onzichtbaar was. Hij zou niet openwaaien in de Hollandse wind.

Het baatte niet.

Hoe was het geweest als ze een dochter had gehad?

Ze vroeg het na het weekend aan Stan in een mail.

'Hoe is het om een dochter te hebben?'

'Leuk,' mailde hij terug. 'Vooral nu ze vijfentwintig is. Nu mag ik weer gezien worden. Noemt ze me in gezelschap haar *daddy*.'

Dat was het. Ja, mannen waren kort van stof.

Bastiaan was nog niet afgereisd naar Grasse, of de zon kwam terug. Het was fris met 11 graden, maar prima weer om een kijkje te nemen in het vakantiepark. Ze nam de bus, die er geen halfuur maar anderhalf uur over deed, maar wel veel van de streek te zien gaf. Er zat maar een handvol mensen in. Het was relaxed. Ze keek haar ogen uit. Het plaatsje Sainte Marie du Var zelf was lieflijk. Kerk, school, supermarkt en diverse winkels.

Zo mailde ze het ook aan Stan. Ze vertelde dat het park inderdaad ruim was. De huizen stonden verspreid langs een glooiende helling, er waren veel bomen, en er was een rechttoe-rechtaan zwembad. Sommige huizen waren gemoderniseerd, maar niet het huis dat te koop stond. Daar moest zo te zien het een en ander aan gebeuren. De verf van de veranda bijvoorbeeld was afgebladderd. De plek leek goed, van de buren zag je hoegenaamd niets, en toch was het helemaal niet eenzaam. Best iets om op door te gaan. Tenslotte was het vliegveld relatief dichtbij en was het daardoor prima te doen vanuit Nederland. Niet voor een weekend, wel als je er een paar dagen aan vast breide.

Ze stelde zich dat voor. Vrijdag met de avondvlucht heen, dan naar het huis toe rijden…

'Het is dan wel handig om er een auto te hebben,' tikte ze er nog snel achteraan. 'De bus rijdt flink om, en de afstand naar het plaatsje is net iets te groot om met boodschappentassen te lopen.'

Zo'n lang weekend moest wel heerlijk zijn. Die totaal andere wereld. Alles wat je thuis achterliet. Je kwam bruin en ontspannen terug!

'Het lijkt me al met al heerlijk,' tikte ze. 'Als hij het koopt, benijd ik hem, zeg dat maar tegen je vriend.'

Ze mailde het verhaal aan Joke, en vertelde dat Stan regelmatig de stad ontvluchtte voor rust en ruimte.

'Weet dat jullie welkom zijn voor winterse weekendjes in ons gastenverblijf,' mailde Joke terug. 'Dan komen er geen mensen aanwaaien, maar boeken ze van tevoren. We weten dus precies wanneer het leegstaat.'

Ons gastenverblijf. Babs grinnikte. Maar wat zou het enig zijn. Ze zag zich al met Stan wandelen langs de rivier.

Intussen was het tijd geworden om vaker terug te denken aan het leven in Nederland. En dus ook om het appartement *à la* tante Hannelore zeer grondig schoon te maken? Zelfs de bladeren van de planten nam ze voorzichtig af. Dat alles hielp goed om naar de achtergrond te dringen dat Ted nog niet meer had gedaan dan met een uitverkoren makelaar het huis door te lopen.

Natuurlijk wandelde ze nog een paar keer langs de haven en de cruiseschepen, reed ze per bus door de stad om de sfeer en de beelden van de oude centrum niet te vergeten, en at ze bij *Mon Manon* nog een keer de lekkerste *bouillabaisse* van de stad.

Het voelde niet als een afscheid. Met Stan kwam ze hier ongetwijfeld nog eens terug. '*Au revoir,*' zei ze dan ook tegen de conciërge en de Engelsen, tegen de Fransen, de bakker en de marktkooplui, ook al was dat voor de grap. '*Au revoir!*'

22

Babs klikte het hangslot van haar fiets dicht. Zo, die zat muurvast aan een lantaarnpaal. De geur van het water van de Amstel drong zich op. Ze snoof diep en rook ook frituur, dieselolie en vis. Het water klotste tegen de boeg van een woonboot. Aan de overkant van het water baande en ambulance zich moeizaam met zwaailicht en sirene een trage vluchtweg tussen fietsers en een stilstaande vrachtwagen.

Het was niet koud en het was niet warm. Door de kale bomen heen zag je dat het winter was. Geen onweersbuien en opeens weer felle zon, zoals in Nice. Alleen het onnavolgbaar grijze van een Hollandse kwakkelwinterdag.

Ik ben weer terug, besefte ze toen een groep eenden met veel misbaar in het water landde, een duif boven haar hoofd begon te koeren en een wherry met warm geklede en van mutsen voorziene oude dames kalm langsgleed. En ook dat ze dat gevoel van terugzijn nu pas had, en niet toen ze de vorige dag met haar twee rolkoffers op Schiphol op de trein stapte, er op het Amstelstation weer uit ging en zich voor het gemak met een taxi thuis liet brengen. Gelukkig was Ted toen op zijn werk.

Ze was nog wel uitvoerig door het huis gelopen. Met al zijn bekende hoeken en gaten, spullen en dingetjes, zonbelichte en schaduwdonkere delen, en binnen- en buitengeluiden was het heel vertrouwd. Maar het was geen thuiskomen geweest. Omdat ze er tot haar eigen verwondering absoluut zeker van was dat ze er niet langer wilde wonen?

Het is een goed en trouw huis, had ze gedacht, maar het voegt me niet meer. Ze had er over staan nadenken voor het raam van wat sinds de terugkeer van Ted haar eigen slaapkamer was. Beneden het postzegelgrote lapje gras dat hun tuin was, op ooghoogte de huizen van de straat achter hen, boven een stukje grijze lucht, waar toevallig net zowel een meeuw als een vliegtuig doorheen gleden.

Toen de jongens een voor een de deur uit gingen, begon ik al van het huis afscheid te nemen, had ze zich zo aan het raam bedacht. Ach, we kochten het indertijd omdat het een verstandige koop leek, niet om gevoelsredenen. Prima locatie, scholen en winkels vlakbij, tuintje voor de kinderen, voor Ted niet ver van het station, tram en bus om de hoek, dat soort dingen. Maar we kochten het niet om er levenslang te wonen. Gevoelens wekte het niet op, ook al was het door mijn toedoen gezellig en knus.

En toch was en bleef het een mannenhuis met mannenrotzooi. Altijd slingerde hun troep rond. Dat was óók gezellig, maar als je me in mijn hart keek niet zoals ik het graag gewild had. Met een knus hoekje voor mezelf bijvoorbeeld, of met zo'n gezellige *grand foulard* over de bank als in de flat van tante Hannelore. Maar dat kon ik wel vergeten. Ze vonden zoiets belachelijke onzin en struikelden er expres over of gingen eronder liggen alsof het een deken was. Een vod was het al snel geworden.

Had ik met drie dochters anders gedacht over het verkopen van het huis, vroeg ze zich af. Geen idee. Fietje en Chantal waren leuke meiden, maar geen dochters – wel gezellige tantes, met wie ze het goed kon vinden en van wie ze regelmatig niets begreep.

Babs had vertrek voor vertrek nog eens goed bekeken. Zonder er nu direct op af te geven, het interieur was oudbakken. Logisch, ze hadden het eens een verfje moeten geven vanbinnen, de gangloper moeten vervangen door bijvoorbeeld een plavuizenvloer en er een moderne keuken in moeten plaatsen.

Kon dat niet alsnog? Was het dan beter te verkopen? Of zou ze er dan zelf in willen blijven wonen?

Nee.

Nee?

Nee.

En met Stan? Hij moest immers ook omzien naar andere woonruimte?

Met Stan was natuurlijk elk huis goed. Maar zonder gekheid, nee. Want met Stan was er een nieuwe fase in haar leven aangebroken en daarbij hoorde niet dit huis. Punt, uit.

Ze was de koffers gaan uitpakken. Met een kop Hollandse filterkoffie erbij had ze in de keuken de post doorgenomen. Er waren alleen goedkope koeken van de supermarkt. Ted was een onverschillige eter, het verschil met een lekker bakkerskoekje proefde hij niet.

Zijn keuze aan boodschappen ergerde haar. Het is absurd, dacht ze, om samen te wonen met een partner die je wilt vermijden. Dit mag niet langer duren dan hoogstnoodzakelijk, dat geldt net zo goed voor Ted. Er moet snel een einde aan komen. Doet hij het niet, dan doe ik het.

En daardoor kwam het dat ze daarnet haar fiets vastketende aan een lantaarnpaal aan de Amstel. Een stukje verderop was namelijk het door Ted uitverkoren makelaarskantoor. En… stomtoevallig… om de hoek was de gracht waaraan Stan woonde.

Eerst wilde ze daar om de hoek een kijkje nemen, dan ging ze haar oor te luisteren leggen bij de makelaar en vervolgens was het tijd om naar het grand café aan de volgende gracht te gaan waar ze hadden afgesproken omdat Stan niet wist of het hem zou lukken op tijd bij zijn huis te zijn.

Hij had gewaarschuwd dat de straat was opgebroken. Maar met de fiets was het geen probleem. Zijn huis was aan de rechterkant en ongeveer zestig meter van de hoek.

Hij had naar eigen zeggen enorm de smoor in dat hij haar niet had kunnen ophalen van Schiphol. Ze had het gemeend weggewuifd. 'Het is voor jou veel te ingewikkeld, terwijl ik probleemloos met de trein en een taxi thuiskom.'

'Jij stond wel onverwacht voor mijn neus in Nice. Ik had jou ook graag zo verrast. Maar ik zit om die tijd met dertien man in bespreking.' Hij klonk spijtig.

'Ach, het wordt vast een onvergetelijk constructieve en humoristische bespreking!'

'Ha, ha, je bedoelt zeker eentje die ik voor geen goud had willen missen! Maar zonder gekheid, we zitten er inderdaad met een mooie ploeg mensen. Het belooft constructief te worden. Iedereen heeft door zijn achtergrond zijn eigen inbreng. Dat maakt het interessant.'

Door een krijsende meeuw vlak voor haar neus kwam Babs weer terug in de werkelijkheid. Nieuwsgierig wandelde ze naar de straathoek. Ze had geen tijd hoeven afspreken voor een bezoek aan de makelaardij, de assistente zou haar te woord staan, en liep op haar gemak langs de huizen.

Een smal pand was het huis waarin Stan woonde. Ervoor was een hoge trappartij met middenvoor op straathoogte de voordeur van het souterrain. De naambordjes waren van koper en glimmend gepoetst. Zijn naam stond er niet bij. Logisch, hij woonde er tijdelijk.

Een peperduur pand trouwens om werknemers in onder te brengen, dacht ze. En werknemer wás Stan als… ja, als wat eigenlijk… directeur? Afijn, dat was wél andere koek dan freelancer.

Hoe kon Stan zich indertijd dat freelancerschap eigenlijk permitteren? Als leraar met een gezin lukt het heus niet om een stevige financiële buffer bij elkaar te sparen. Hoeveel geld opgroeiende kinderen kosten, wist ze maar al te goed.

Familiekapitaal? Naar wat hij had verteld, kon dat er niet zijn. De naam De Houtman mocht teruggaan tot in de zeventiende eeuw, zijn grootvader had een smederij gehad en zijn vader was garagehouder geweest.

Peinzend keek ze de gracht over. Alle parkeerhavens aan de grachtkant waren bezet. Er stonden een boel fietsen. Verderop was, te zien de uithangende vlag, een opleidingsinstituut.

Zou zijn vrouw Tineke rijk geweest zijn?

Hun financiële situatie was niet ter sprake gekomen. Was dat gek? Wel had ze terloops de nalatenschap van haar ouders genoemd bij de kwestie met Heleen. En natuurlijk was de mogelijke vraagprijs van het huis ter sprake gekomen, maar niet of er nog hypotheek op rustte. Stan had ook geen bedragen genoemd toen hij over de etage vertelde die hij had willen verbouwen.

Maar waarom zou je ook als je elkaar net kende?

Ze liep terug, sloeg de hoek om en wandelde verder langs de Amstel naar het makelaarskantoor. Dat ze aan de overkant nu zo ontzettend vaak had gefietst. Ook nog toen ze Joke had achtergelaten bij Rutger en geen zin had om naar huis te gaan. Toen had Stan aan deze kant van het water kunnen wandelen, terwijl ze niet eens wist dat hij in Amsterdam woonde.

Ze glimlachte bij die gedachte, en schrok zich wild van een auto die met de geluidsboxen voluit opengedraaid over de smalle gracht kwam aanscheuren. Ze sprong opzij en keek extra goed uit bij het oversteken naar de makelaardij.

Het was een hippe tent, het grand café waar ze hadden afgesproken. Het stond er volgepropt met veelkleurig meubilair waardoor iedereen maar krap zat; overal hingen kolossale lampen, en alle wanden waren bekleed met spiegels.

Babs streek er te vroeg neer. Ze zag maar steeds zichzelf weerspiegeld, waardoor ze onwillekeurig aan haar kapsel frutselde, de laaghangende col van haar truitje herschikte, vriendelijker keek dan voorheen, haar schouders meer naar achteren trok en, om van dat spiegelbeeld af te zijn, maar ging noteren wat de assistente van de makelaar allemaal te vertellen had gehad.

De piep van een sms. Stan. 'Ben vlak bij garagestalling' las ze, en ze herinnerde zich dat hij een box huurde in een particuliere parkeergarage omdat er vlak bij huis zo slecht te parkeren was. Maar daarom niet alleen, ook omdat zijn auto te vaak was opengebroken. De garage was wel wat uit de buurt, daarom fietste hij heen en weer.

Glimlachend drukte ze het bericht weg. Hoe zou het zijn om elkaar weer te zien?

Ze bestelde een tweede cappuccino. In afwachting daarvan noteerde ze wat haar nog meer te binnen schoot over het huis, de vraagprijs, stylingtips om het binnen aantrekkelijk te maken. Er was nota bene een wachtlijst met gegadigden voor dit type huizen. Het was een kwestie van 'in de markt zetten', dan ging vanzelf het balletje rollen.

Wat was Ted toch een slome! Onder het mom dat hij eerst wilde overleggen met zijn vrouw had hij nog steeds de verkoopopdracht niet definitief gemaakt.

Wat ze ook maar noteerde waren trefwoorden uit anekdotes over bezichtigingen en met kopende en verkopende partijen, want het onderwerp huizen in Amsterdam was aan de borreltafel *hot*. De prijzen rezen de pan uit. Ook Stan had zijn etage met enige winst van de hand kunnen doen, terwijl hij er nota bene nog niets aan had opgeknapt!

Weer vroeg ze zich af hoe het bij hem zat met de financiën. Verdiende hij veel? Een dure auto, prijzige kleren, een weekend met vrienden in het buitenland, een vlucht naar Nice om haar op te zoeken, zijn weigering haar de helft van de kosten van het weekend te laten betalen...

Moest je als moderne vrouw niet gewoon vragen naar de financiële omstandigheden? Zo van: hé Stan, hoeveel verdien jij eigenlijk? Heb je ook aandelen of beleg je in onroerend goed?

Ze giechelde. Nooit van haar leven zou ze dat doen. Ze was gek op hem om wie hij was, ook als hij geen cent bezat. Het oude adagium dat het in het leven niet om geld gaat maar om liefde, ja liefde, daar draaide het om!

Maar als leraar... freelancer... opgroeiende kinderen...

Daar was Stan!

Opeens zag ze zichzelf in die kanjers van spiegels omhoogschieten van het zitbankje. De serveerster met de cappuccino kon haar nog net ontwijken. Stan stond in de deuropening van het grand café! Ze wrong zich al wuivend verder omhoog tussen de tafel. Hij beende al naar haar toe. Zijn armen lagen om haar heen. Zijn mond was op de hare. Ze rook het suède van zijn jack en plofte weer neer.

'Wauw, je bent er,' zei ze.

'Ik heb al die tijd lavendel geroken,' zei hij. 'En dat ben jij!'

Ze lachten, zij omdat ze hem niet begreep en hij omdat hij niet wist waarom hij zoiets idioots zei. Op het vliegveld van Nice had hij ook al iets over lavendel willen uitroepen.

'Voor mij ook een cappuccino,' zei hij tegen de beduusde serveerster terwijl hij zich om de tafel heen wrong en naast Babs op de zitbank ging zitten. Weer lagen meteen zijn armen om haar heen. 'Wow,' zei hij en weer zoenden ze.

'We gaan straks bij mij eten,' zei hij met zijn gezicht vlak bij het hare. 'Hollandse andijviestamppot met spekjes en een bal gehakt.'

'Wow,' riep ze uit, 'dat heb ik in geen máánden gegeten.'

'Na al die slakken, kokkels, inktvissen, paddenstoelen, zontomaten en schimmelkazen maar weer eens gezond, dacht ik zo.' Hij lachte. 'Ik ben zo blij dat je er bent. En ik wil je zo ontzettend veel vragen. Waarover hebben wij eigenlijk gesproken in dat heerlijke weekend?'

Babs straalde. 'Over een heleboel.'

'En kennelijk over een heleboel níet. Zo had ik geen idee of je wel van stamppotten houdt.' Weer lachte hij. 'Maar de groenteboer zei dat alle vrouwen er gek op zijn, want dat kopen ze het meest.'

'Voor hun mannen,' zei Babs beslist. 'Voor zichzelf kopen ze zo'n zakje gewassen gemengde salade. Stamppotten zijn voor mannen. Die willen in de winter geen koud eten. Vrouwen lijnen eeuwig en altijd en mannen houden van een warme prak. Maar, geloof me, na maanden van liflafjes smacht ik naar andijviestamppot!'

'Ik volg de stap-voor-stapmethode in het *Kookboek voor mannen*,' bekende hij lachend. 'Van Hester gekregen, die vond dat ik te vaak buitenshuis at. Ze wist de helft nog niet...'

'Van mijn mannen kan alleen Casper koken. En hoe! Hij schrijft zelfs de receptenrubriek in de nieuwsbrief van de sportschool. Koolhydraatrijk, eiwitrijk, energiearm. Hij draaide er zijn hand niet voor om. Waardoor Chantal er weer niets van bakt. Dan Fietje! Die kookt hele buffetten, of het nu voor zes of zestien man is, en die...' Ze onderbrak zichzelf. 'Stom, nu vertel ik allemaal totaal onbelangrijke dingen, terwijl je zoveel te vragen hebt.' Ze keek hem afwachtend aan.

Maar hij wist ze niet meer. Alleen wel dat hij nog een cappuccino wilde.

'Jij ook?' Hij wenkte de serveerster.

'Doe mij maar een *vin blanc*,' zei ze automatisch. 'O nee, natuurlijk niet, we zijn in Nederland, zeg!'

Lachend besloten ze toch maar wijn te bestellen.

'De andere mensen hier zullen ons wel heel vervelend vinden,' zei ze met een hoofdbeweging naar de spiegels.

'Ik zie anders niemand naar ons kijken,' stelde Stan vast.

Ze grijnsden elkaar in de spiegel toe. De serveerster, die naast hen in beeld verscheen, grijnsde ook. Stan bestelde en toen ze weg was trok hij Babs even tegen zich aan. 'Ik heb je gemist. En toch vloog de tijd om. Het was druk. Contacten, informatie uitpluizen, rekening houden met tijdszones, dat soort dingen.'

'Moet je dan soms naar het buitenland?'

'Hoe raad je het.'

'Leuk?'

'Ja en nee. En nu weet ik meteen een van die vele vragen. Heb je er bezwaar tegen om zo nu en dan mee te gaan?'

'Nee,' zei ze. 'Maar ik heb natuurlijk maar een beperkt aantal vakantiedagen. En ook is mijn budget... eh...' Het kost veel geld, dacht ze. 'Eh... jij reist vanzelfsprekend op kosten van de zaak?'

'Ja, logisch.'

Opeens vond ze het heel normaal om te zeggen dat ze eigenlijk niets van hun financiële situaties afwisten. Dat deed ze dan ook. 'En om het spits af te bijten, ik moet echt wel werken voor de kost. Natuurlijk bezit ik straks de helft van de opbrengst van het huis. En ik heb een kleine bankrekening als reserve. Gespaard van mijn inkomen, plus wat ik erfde na het overlijden van mijn moeder.'

Toen kwam de wijn.

'En jij?' En voor ze het wist vroeg ze het op een grappig bekakt toontje: 'Beleg je naast je behoorlijke depositorekening en koopsompolissen in lucratieve aandelen of opties, of handel je wat in vastgoed, zoals bijvoorbeeld studentenhuizen of winkelpanden?' Ze schaterde het zelf uit.

Hij kon er wel om grinniken. 'Nou nee...'

'Jammer,' zei ze nog nalachend. 'Gelukkig maar dat ik dat niet wist en gewoon verliefd op je werd, hè?'

'Precies,' zei hij.

Opeens merkte ze dat hij serieus was. Ze legde haar hand op zijn arm. 'Je snapt toch wel dat het maar gekheid is?'

'Jazeker. Maar ook in gekheid steekt wel ernst.' Zijn blik hechtte zich aan de hare. 'Een café is er een vreemde plaats voor,' zei hij, 'en toch ga ik het hier vertellen. Je bent niet het type dat gaat gillen.'

Toch hield hij eventjes als een echte leraar zijn wijsvinger waarschuwend voor zijn mond. 'Mondje dicht, Babs, maar tien jaar ge-

leden wonnen we een naar onze maatstaven enorme prijs in de lote-
rij. Krankzinnig, het lot was nota bene een verjaarscadeautje. Ja, je
kijkt ongelovig, maar ik kan er niets aan doen. Het was ook voor ons
ongelooflijk. Het duurde dan ook maanden voor we de draagwijdte
ervan beseften. Over mijn depositorekening en koopsompolissen,
aandelen, opties en vastgoed vertel ik later wel.'

Babs was totaal verbluft. 'Néé, echt?!' zei ze. 'Had ik maar niets
gezegd!'

Nu schaterlachte hij. 'Nee, hoor. Je hebt groot gelijk.' Hij gaf
haar een zoen.

'Maar ter zake. Het bedrag was dusdanig hoog dat het me mogelijk maakte om te stoppen in het onderwijs, om tijd te investeren in
het oriënteren op de toekomst, om Tineke bij te staan en particuliere
hulp te kunnen inkopen, en om de kinderen te laten studeren. Dat ik
zonder pressie naar andersoortig werk kon zoeken, was het mooiste.
In die zin was het bedrag oneindig groot. In werkelijkheid was het
dat niet. Het kon in ons geval op den duur echt op. Het was fantastisch dat ik al rondneuzend en artikelen schrijvend tegen dit bedrijf
aanliep. Want voor een artikel zat ik langdurig aan tafel met de directeur, en via die wederzijdse vriend kwam van het een het ander
en... ach, dat vertel ik je nog wel eens, als het over mijn deposito's,
koopsompolissen, aandelen, opties en vastgoed gaat...' Hij legde
zijn arm om haar heen. 'Nee, lieve Babs, niets daarvan. Ik verdien
gewoon de kost. Met werk naar mijn hart, dat maakt een mens gelukkig. Net als een reserve op je bankrekening natuurlijk.'

23

Babs keek in het rond. 'Het klopt wat je bij de wijnboerderij zei, dat het appartement daar wel heel veel op deze Amsterdamse studio lijkt. De stijl is inderdaad hetzelfde.'

Stan sloot de deur naar de gemeenschappelijk gang achter zich dicht. Mooie gordijnen, zag Babs, in warme kleuren. Een tweepersoonseettafel met stoeltjes. Twee smaakvolle gemakkelijke stoelen.

Het bed, gelukkig ook tweepersoons, stond tegen een achterwand van kasten en boekenplanken met ingebouwde verlichting. De keukenhoek zag er fris en fleurig uit – allemaal dingen die erop wezen dat een professional er de hand in gehad had en dat die aan vele smaken tegemoet wist te komen. Sommige elementen waren modern, andere landelijk of antiek.

Stan snoof. 'Het is net schoongemaakt.'

Babs lachte. 'Dat wordt gedaan...?'

'Gelukkig wel. Nog een reden waarom het hier voor tijdelijk prima is. Ik voel me wel thuis, ook al zijn alleen de foto's, cd's en boeken van mezelf.'

Ze kroop weg tegen zijn schouder. Haar neus raakte zijn hals. Ze rook dezelfde geur als toen in Frankrijk. 'Je ruikt zo lekker. Maar naar wat, de buitenlucht misschien? Voor dat verhaal wilde ik de geur van hooi beschrijven. Het lukte me maar niet. Je moet er genoegen mee nemen dat de lezer wéét hoe hooi ruikt. Ik heb die cursus trouwens niet kunnen afkrijgen: er was te veel afleiding.'

Het was heerlijk om zijn warme, sterke mannenlijf tegen zich aan te voelen.

'Ruik jij nog wel eens lavendel?'

Ze voelde hem lachen.

'Nou en of. En steeds zie ik je dan weer op me toe lopen op het vliegveld, met je telefoon aan je oor.'

'Heerlijk om te horen... De kleur van de rok die ik droeg, heet trouwens lavendel...'

'Wat zeg je, die kleur heet lavendel? Juist! Nou, dan klopt deze associatie. Als bioloog zou ik nu een wetenschappelijk verantwoord verhaal kunnen afsteken over de sturing via allerlei hormoonstoffen door onbewuste prikkels, maar ik kijk wel uit. Het is veel beter om je te zoenen. Dat past pas echt bij lavendel.'

'Heb je soms ook een cd met klassieke pianomuziek?' Dat fluisterde ze, wat hij meteen snapte. 'Ja, ja… Hier in de tuin zijn 's nachts behoorlijk vaak krijsende katten. Dat de roodborstjes tussen al die roofridders weten te overleven! Roodborstjes uit het hoge noorden verdedigen hier nu hun winterterritorium. Een wekker hoef ik niet te zetten.'

'Waarmee je maar zeggen wilt…'

'Dat jij wilt wat ik ook wil…'

Zijn handen gleden toen al langs haar rug naar beneden en weer terug omhoog over haar blote huid. 'Wat was het daar in Frankrijk een bijzondere nacht,' baste hij zacht.

'En wat is het hier onwaarschijnlijk stil voor de stad,' fluisterde ze terug. Inderdaad was in de stilte van hun ademhaling alleen het zachte strijken van zijn hand over haar huid te horen, en na een poosje zijn fluisterende stem. ' "Ja, toe maar," zei je toen…'

'Dan zeg ik het nu weer…'

Toch zag Stans appartementje er door de royalere keukenhoek groter uit dan dat van de wijnboerderij, zag Babs later. Vooral de badkamer was door zijn ruime afmetingen heel anders, wat kwam door een aanbouw aan het huis. Daarin werden in vroeger jaren dingen als een handkar en gereedschappen opgeslagen.

Voor Stan ging kokkerellen, gaf hij haar een lijvig boek waarin deze grachtenpanden beschreven stonden. Ze waren minder in aanzien dan de huizen aan de belangrijkste grachten. Hier woonden handwerkslieden en dat soort lui. Doordat deze studio aan de achterkant van het pand lag, was het er stil. De stadsgeluiden konden er door de omringende huizen met hun achtertuinen niet binnendringen.

De tuindeuren gaven een heerlijk rustgevend zicht op de tuin, ook al was die maar smal. Diep was hij voor stadse begrippen wel, en door de slimme aanplant van heesters waren er twee aparte terrasjes gecreëerd, met een piepklein vijvertje ertussen. Net toen Babs de tuin in stond te kijken fatsoeneerde daar, op de rug van een stenen kikker, een merel zijn verenpak.

De studio was zelfs voor één persoon te klein om jaar in jaar te bewonen. Een stap of zeven en je was van de tuindeuren terug bij de gangdeur. Een kleine draai naar links en je stond aan het aanrecht. Een naar rechts en je belandde in bed. De langste afstand was van de tuindeur naar de deur van de douchecabine in de badkamer. Met z'n tweeën kon je er onmogelijk wonen. Bij aangenaam weer kon je nog de tuin in lopen, maar vooral in dit jaargetijde moest je voor wat levensruimte je heil buiten de deur zoeken. Bezoek kon je al helemaal niet ontvangen, daarvoor was het met dat bed erin ook te intiem. Voor hun tweeën lag dat natuurlijk anders, maar met vrienden sprak Stan elders af.

Nu snapte Babs dat de assistente van de makelaar het een minpunt van haar huis noemde dat er geen goed café in de buurt was om je vrienden te ontvangen. Wat een flauwekul, had ze gedacht. Daar heb je toch een huis voor? Maar inmiddels was het voor de huidige generatie stadsbewoners normaal geworden om niet thuis te ontvangen, gewend als ze waren aan het gebrek aan ruimte.

Inderdaad, Stan vulde met zijn lange gestalte de hele keukenhoek, en zijzelf als ze haar benen voor zich uitstrekte het zitje bij de tuindeur. Helpen in de keuken was er daardoor niet bij, zelfs in deze zou ze maar in de weg lopen. Belachelijk, dacht ze, op zo'n poepduur stekkie had je met z'n tweeën niet eens bewegingsruimte, moest je naar de kroeg!

Ze bladerde door het grachtenboek, maar meer keek ze naar haar geliefde in de keuken. Zijn krullerige haar leek in het lamplicht inderdaad een beetje grijs. Maar dat kalende stukje bovenop was niet groter geworden, zoals hij zelf beweerde. Wat leek hij hier lang. Bij hun allereerste kennismaking was haar dat niet opgevallen.

Dat beeld doemde weer voor haar ogen op. Ze liep toen op laarzen met erg hoge hakken en eigenlijk idioot lange spitse neuzen! Dat was toen de mode. Net als het rokje dat ze droeg. Het was honingkleurig, en ze had er een zwart, gedecolleteerd shirtje op. Ze had zich er heel vrouwelijk in gevoeld, juist omdat ze meestal rondliep in de combinatie broek, shirtje, colbertje die ze toch ook in haar werk droeg. Ze herinnerde het zich weer helemaal. Ook hoe hij had gekeken, die onbekende man die nu voor haar ogen de koekenpan met spekjes heen en weer schudde, melk in de magnetron warmde, de aardappels afgoot en een pureestamper uit de bestekkade tevoorschijn haalde.

Ze kon een glimlach niet onderdrukken. Nu ging er in plaats van een glas met jus d'orange een glas rode wijn naar zijn mond. Zelf nam ze ook een slokje. Toen was zij receptioniste, en wilde hij bijdragen schrijven voor de *specials* van de krant.

'Wat ben je nu eigenlijk?' vroeg ze. 'Ik bedoel, hoe heet je functie?'

'Officieel *CQO*. Oftewel *Chief Quality Operations,* in goed Nederlands,' antwoordde hij, terwijl hij de inmiddels hete melk door de puree roerde. 'Een hoofd kwaliteitsoperaties bestaat in het wereldje gek genoeg niet.'

'Het is nogal wat anders dan je aanvankelijke freelancerschap,' merkte ze lachend op. 'Ik dacht daarnet namelijk aan onze eerste kennismaking. Je wilde wel schrijven voor specials, weet je nog?'

Hij grinnikte, zette de afzuigkap een stand hoger en trok de plastic zak met andijvie open. Handenvol ervan gingen in de pan met puree. 'Weet je zeker dat de andijvie echt schoon is?' vroeg ze. Stom, wist ze tegelijk. Je moet je nooit met kokende mannen bemoeien.

Gelukkig hoorde hij haar vraag niet door het lawaai van de afzuigkap en de nu vurig spetterende spekjes. Bovendien temperde hij met zijn ene hand het vuur onder de koekenpan en roerde hij met zijn andere stevig in de stamppot die op een hoge vlam op temperatuur moest komen.

'Een paar minuten nog,' kondigde hij aan terwijl hij de wijnfles oppakte.

'Even bijschenken?'

Ze hief bevestigend haar glas. 'Op ons samenzijn. Wie had dit kunnen denken…'

'Of durven hopen,' zei hij. 'Ik bedoel, een mens moet wijzer zijn, en niet proberen te krijgen wat van een ander is, en al helemaal niet gaan hopen dat degene op wie je een oogje op hebt gaat scheiden of weduwe dan wel weduwnaar wordt…'

'Deed je dat dan?'

'Nee, ik was wel wijzer. We gaan eten.'

In de keukenhoek dampte en spetterde het op volle kracht.

Het mocht niet, het kon niet, het ging levens verknallen, schoot het door haar heen. En nu mag het. Kan het. Gaat het ons gelukkig maken. Want daar zijn we zelf bij.

Stan in de keuken schepte twee borden stamppot op. Ze ging aan het eettafeltje zitten. Met de borden, hun glazen en de wijnfles erop was het vol. Eronder raakten hun knieën elkaar, maar daar was niets mis mee.

We kunnen elkaar over tafel heen kussen, dacht ze glimlachend. Maar ze verklapte haar gedachten in *Mon Manon* niet.

Ze proostten en proefden het eten, dat lekker was.

'Hoelang kun je hier nog blijven wonen? Het is eerder een *pied à terre* dan een thuis, zo zonder je eigen spullen en meubels. Die heb je ergens opgeslagen, is het niet?'

Hij knikte instemmend. 'Nog een half jaar.'

'En dan?'

Hij haalde zijn schouders op. 'Dat is afwachten. Er zijn legio mogelijkheden. Ligt dan het zwaartepunt van mijn werk in Amsterdam of bij een project ergens elders in de wereld? Best lekker stamppotje met die spekjes, vind je niet? Ze zijn alleen wel erg hard.'

Hij viste er een paar uit die nogal donker waren en legde ze op de rand van zijn bord.

'Juist lekker knapperig,' vond Babs.

'Hm. Nou, kijk maar uit. Je kunt er je vullingen op breken.'

'Het eten is trouwens goed warm. Dat is de kunst.'

Stan grijnsde. 'Dank je wel. Dit was les vier uit het kookboek. De moeilijkheid zit 'm er volgens de auteur in dat de spekjes ietsje later klaar moeten zijn dan de puree, zodat de puree de tijd krijgt om de rauwe andijvie op te warmen, maar ook weer niet zó lang dat die slap wordt. Nou je ziet het, de spekjes gingen voor hun beurt. Ze zijn droog en te hard geworden. Afijn, toch door naar les vijf. Wil je het resultaat dan óók proeven?'

'Dat hangt er helemaal van af wat de pot schaft.'

'Als ik het goed onthouden heb gekookte mosselen met drie sausjes, frites en gemengde sla.'

'Dat klinkt verdacht veel op de dagschotels van veel eetcafés.'

'En daar die dingen opeten is stukken gemakkelijker met die schelpentroep,' zei hij monter. 'We moeten maar meteen doorstoten naar les zes. Zuurkool met borstfilets van fazant en aardappelkroketjes. Daarbij is de moeilijkheid het sappig houden van de filets. De kroketjes mogen we kant-en-klaar aanschaffen en frituren, en dat is voor mannen een makkie. Je ziet, ik heb het hele boek al gelezen.'

'Dat droog worden los je op door op de filets een lapje spek te leggen,' liet Babs zich ontvallen. Stom! Snel relativeren! 'Alleen wordt het dan misschien weer te vet. Filets vind ik trouwens wel zo smakelijk. Het wild en gevogelte op de markt in Nice had de kop en poten er nog aan. Afschuwelijk!' Ze huiverde. 'Zo zielig. Ik zie nog voor me hoe een vrouw er een eend aanwees. "Nee, niet die, maar die andere. Je wilde me een oude taaie geven die na vier uur nog niet zacht is, ik zag het wel!" Later zag ik haar op het terrasje waar ik espresso wilde drinken, boodschappenmand naast haar op de grond, natuurlijk ging er zo'n klein Frans hondje aan snuffelen. Wat een klimaat, hè, dat je er op een terrasje zat? Vandaag was het er zonnig en veertien graden, zag ik op internet … Die vriend van je in de Jordaan zou er zo eventjes naar toe vliegen.'

Omdat ze toen zelf een hap nam, zag ze niet hoe Stan nogal instemmend met zijn hoofd knikte. En ook de fonkeling in zijn ogen ontging haar.

Later die avond wandelden ze een stukje langs de Amstel. Het was er nauwelijks minder rumoerig dan overdag, maar wel een stuk kouder. Bij een avondwinkel was het gezellig druk. De eigenaar ervan bezat volgens Stan de beroemde Amsterdamse humor, waardoor het wel leek of mensen er voor de gezelligheid nog even een boodschap haalden.

Opeens stond Stan als door de bliksem getroffen stil. 'Babs, ik ben de gehaktballen vergeten! Nu hebben we alleen maar die stamppot gegeten. Ach, die heerlijke gehaktballen! In de koelkast! Nou, schraalhans is bij hem keukenmeester, zul je wel gedacht hebben!'

Babs keek hem verwonderd aan.

'Jij als doorgewinterde kok had me wel mogen vragen of er niet nog iets bij hoorde,' zei hij. 'Een gezonde Hollander eet toch niet alleen maar stamppot met rauw spul? Die moet ook een bal!'

'Maar gehaktballen maken valt nog helemaal niet mee. Het kost best veel tijd. Je moet het gehakt lekker kruiden en goed mengen. Dan moeten de ballen voorzichtig worden gebraden en om smakelijke en mooie bruine jus te krijgen moet je ook nog…'

'Maar ze waren kant-en-klaar! Gekocht hier bij de avondwinkel. De lekkerste ballen van heel Amsterdam, zeggen ze zelf. Nu liggen ze nog in de koelkast. Ik hoefde ze maar op te warmen en we hadden een volwaardige maaltijd gehad. Zo heet dat toch?'

Opeens bulderde hij van het lachen. Babs grinnikte mee. Hij kon er niet over uit, bleek toen ze doorliepen. De wind woei nu trouwens heel onaangenaam tussen een rij modernere kantoorgebouwen door. Ze keerden terug.

De hemel boven het stadshart was oranje gekleurd door de vele lichten. Er koerste een rondvaartboot langs, romantisch verlicht met uitsluitend kaarsen. Ze stonden een poosje te kijken.

'Ik loop wel vaker 's avonds even langs het water,' zei Stan, 'soms om bij die avondwinkel iets lekkers te kopen.' Hij lachte weer hartelijk. 'Maar vaak loop ik ook dit stukje omdat de geur en de ruimte van het water me even de illusie geven buiten te zijn. Ik ben geen stadsmens. Ik hou van weidse luchten en vergezichten, en ik laat me maar al te graag verrassen door de natuur.'

'Dus als jij niet in Amsterdam zou hoeven wonen…'

'Dan deed ik het niet.'

'En als je het wél moet?'

'Dan trek ik zodra het kan naar buiten.'

Ze waren nu op het opgebroken stuk voor zijn huis en manoeuvreerden langs een hoop straatstenen. Babs liet zich maar al te graag door zijn arm om haar schouder leiden. Hoeveel jaren al deed ze het zonder steun en toeverlaat in het leven? Sterker, was zíj die steun en toeverlaat, en degene die de kar trok.

'Weet je wat haaibaai in het Frans is?' vroeg ze.

'Geen idee.'

'*Virago*,' zei ze.

'Hoe kom je daar nu op?'

Ze haalde haar schouders op. 'Ik dacht er zomaar aan.'

Hij hield halt. Daar stonden ze in het licht van een lantaarn bij een schaftkeet die beschutting tegen de wind bood. 'Niet zomaar, denk ik. Je had het al vaker over "haaibaai".'

'O ja?'

'Ja. Het was terloops, maar toch.'

'Ted vindt me een haaibaai.'

'Jou?'

'Ja, mij.'

'Jij een haaibaai? Kom nou. Je bent initiatiefrijk, een eigenschap die ik trouwens erg waardeer.'

'Lief van je. Dank je wel.'

Met een kus op haar lippen zette hij de kraag van haar jas overeind. 'Nu we stilstaan, merk je pas hoe akelig waterkoud het is. En je hebt geen sjaal om.'

Nu kuste zij hem. Het was geen leuk idee om weer op de fiets naar huis te moeten.

'Ik blijf bij je slapen,' zei ze. 'Oh! Zie je nu wel dat ik een haaibaai ben?'

'Initiatiefrijk bedoel je.'

Ze beet op haar lippen. 'Voor je je straks afvraagt hoe mijn tandenborstel toch in jouw badkamer terecht is gekomen... eh... ik vertelde je toch dat ik van Joke en mij in dat bed and breakfast... nou, in mijn tas bij jou in huis zitten overnachtingsspullen...'

'Gelukkig,' zei hij. 'Zullen we nu alsnog die gehaktballen gaan opwarmen?'

24

'Ted houdt vol dat ik een haaibaai ben. Hij baseert zich op mijn initiatieven bij de makelaar. Weet ik wel dat ik daarmee zijn tactiek
doorkruis? Dat hij juist door zijn kalme stap-voor-stapmethode de
belangstelling van de makelaar prikkelt om moeite voor hem te gaan
doen? Dat het de bedoeling is om een makelaar te laten zien dat je
zelf ook niet van gisteren bent en dat je daarmee een onderhande-
lingspositie opbouwt? Dat alles verpest ik met mijn bazige heers-
zucht,' vertelde Babs 's avonds aan de telefoon tegen Joke.

Haar vriendin snoof verachtelijk. 'Het escaleerde hopelijk niet?'

'Nee, hoor. Ik had het verwacht. Bovendien heb ik een doel en
daar laat ik me niet van afbrengen.'

'Bedoel je dat je op korte termijn van het huis af wilt?'

'Precies. Als er een punt achter staat, ligt voor mij de toekomst
open. Ik ga mijn energie niet verspillen! Trouwens, Ted kon zijn opluchting niet verbergen, ik hoorde het aan zijn stem. Het moet hem
goed doen dat de boel nu in gang gezet is. En doordat ik hem kalm
liet uitpraten, was hij tegen mijn verwachting in niet dwars toen ik
hem voorstelde om een zakelijke bespreking te plannen. Hij accep-
teerde zelfs mijn kladje met bespreekpunten. Maak je borst maar
nat, wilde ik zeggen, maar gelukkig hield ik dat nog net in.

Trouwens, ik had hem een startpagina op internet willen tippen
met bemiddelingsbedrijven bij het zoeken van woonruimte, maar ik
hield het bijtijds voor mezelf. Hij zoekt het maar uit. Hij vindt overigens dat mannen dergelijke zaken beter aanpakken dan vrouwen.
Mannen kennen de woningmarkt, komen zelf wel aan hun informatie en hebben een goed inzicht in de technische kant van huizen en
contracten. Aan me hoela! Ik heb trouwens geen enkele tip gekregen
van mijn bekenden die ik erover mailde voor ik naar Nice ging.'

'Dat Ted zich daardoor niet geroepen voelt om jou te helpen,'
zei Joke. 'Je bent tenslotte een onervaren, onwetend en atechnisch
vrouwtje!'

Babs schoot in de lach. 'Nou, ik mag een leek zijn in de huizen-handel, gek ben ik niet en ik kijk ook wel eens in een krant.'

Ze vertelde dat Stan al langere tijd de boel in de gaten hield. 'Zo-dat hij meteen kan toeslaan als er duidelijkheid is of het zwaartepunt van zijn werkzaamheden in Amsterdam of ergens anders is. Het is een van de vele dingen waarmee hij het druk heeft. Er moet nog zo-veel voor het eind van het jaar!'

'Woon je bij hem?'

'Niet echt. Daarvoor is het er veel te klein. Hij heeft amper kast-ruimte voldoende voor zichzelf! Dus ik woon in principe thuis, in mijn helft dus – overdag in elk geval. Want dan is Ted dan naar zijn werk en zoek ik spullen uit. Dat moet toch gebeuren en het scheelt een hoop gedoe als ik komende maand weer aan het werk ben. En als Stan in Amsterdam overnacht, ga ik naar hem.'

'Terwijl het er te klein is…'

'Gelukkig staat er een normaal bed in…'

Ze lachten.

'Heb je eigenlijk plannen voor de feestdagen? Of moet je iets met de jongens?'

'We eten met zijn allen een keer bij Arthur en Fietje. Stan ontmoet zijn zoon en diens vriendin in Londen. Zijn dochter komt als het even kan ook. Ze gaan er ook naar het een of andere popconcert. Hero en Hester heten ze. Ze waren trouwens enorm opgelucht dat ze met de feestdagen niets met hun vader hoefden te doen. Ze hadden allebei veel te leuke alternatieven. Idem dito mijn jongens. Nou, Stan en ik vermaken ons wel. We vinden het vooralsnog niet vervelend om el-kaar op de lip te zitten.' Ze lachte hartelijk. 'En wat doen jullie?'

Joke lachte mee. 'Wat dacht je? Lekker samen zijn natuurlijk. We hebben elkaar nog altijd enorm veel te vertellen. Sterker, we zit-ten avondenlang met een goed gesprek en een mooi glas wijn bij de open haard. Zo heet dat toch? En natuurlijk met wat lekkers erbij.'

'Eh… mag ik vragen hoe het met je lijn is?'

'Jazeker mag dat!' Ze deed trompetgeschal na. 'Tetterdetet. Der-tien hele kilo's ben ik kwijt! Het kost me goudgeld vanwege al die nieuwe broeken.' Ze relativeerde dat meteen. 'Ik koop ze niet al te duur, hoor. Want over een poosje zullen die me ook te ruim zitten. Het mooiste is dat het ongemerkt gaat. Neem bijvoorbeeld zo'n hapje bij een glas wijn. Zin in kaas? Dan kaas. Zin in iets knapperigs? Dan een crackertje met iets erop. Zin in een romig smaakje? Dan een cocktailtje van vis of kip met wat mayonaise. Snap je?'

Babs hield haar lachen in. Geweldig, dacht ze, dat Joke nu naar háár ideeën in de praktijk bracht. Eten moet naar je zin zijn, in normale hoeveelheden. Lekker proeven zonder schuldgevoel – het credo ook van Rutger, en dat overtuigde haar wél...

'Je moet ook niet dunner willen zijn dan bij je past,' wijsneusde Joke. 'Ik ben altijd een stoere tante geweest, een mollig kind en een dikke puber. Een slanke den zal ik nooit worden. Maar ik kan me nu zoveel gemakkelijker bewegen!'

'Hoe gaat het met je rug?'

'Eigenlijk aardig goed. Het is er nog maar één keer in geschoten.'

'Toen je bij Rutger was?'

'Nee helaas, ik was thuis. Dus geen verwennerij... In de kerstvakantie ben ik weer bij hem. O, mocht het knusse jullie te veel worden, jullie zijn welkom in het gastenhuis. Rutger heeft het vrijgehouden om er een paar noodzakelijke klussen te doen. Praktische dingen die pas in het gebruik aan het licht komen. Een paar stopcontacten verplaatsen, een kozijn afdichten en nog zoiets. Hij klopt wel netjes op de deur als hij aan de slag wil. Iets anders, weten de jongens van het bestaan van Stan?'

'Ik heb het ze verteld. Dat ik hem in Nice leerde kennen, maar dat hij in Amsterdam woont. Bastiaan had ik het trouwens al in Nice gezegd. Had ik je gemaild dat Bastiaan en ik hebben gegokt in het casino? Hij verloor en ik won een kleine honderd euro. Ik moest daar ontzettend om lachen. Hij zei dat Nice me goed deed, dat ik in jaren niet zo vrolijk was geweest. "Je was bloedserieus over de kleinste pietluttigheden," zei hij. Nou dat kan kloppen. Het was me nota bene zelf opgevallen. O, er schiet me nog iets te binnen. Idioot toevallig! Zijn vriendin Chantal blijkt die Petra van de wijnboerderij te kennen. Ze hebben samen gezongen in dat operettegezelschap van Chantal. Hoe bestaat het, hè?'

Heerlijk was het om meer dan een uur zo gezellig te kunnen kletsen. Praten was toch echt stukken makkelijker dan mailen. En praten kon je eigenlijk alleen met vrouwen. Met Stan was het natuurlijk ook heerlijk, super heerlijk zelfs, maar anders.

Het hebben van vriendinnen was überhaupt heerlijk. Zelfs met de conciërge in Nice was er meteen vertrouwelijkheid geweest. Als ze er langer was gebleven, hadden ze best vriendinnen kunnen worden. Maar in Nederland had je dan weer je eigen grote vriendenclub en dan verbleekte zo'n vriendin op afstand.

Wát grote vriendenclub?

Opeens drong het tot haar door dat ze die vróéger had. Nu was eigenlijk alleen Joke nog over. En toen ze nog bij de krant werkte waren het haar collega's. Waar was iedereen gebleven?

Velen hoorden bij bepaalde levensfasen. Ze kwamen en gingen, de vrouwen van de zwangerschapsgymnastiek, de andere moeders uit de buurt, de moeders van vriendjes van de jongens en nu dus de collega's van de krant.

Eerst maak je nog afspraken, later houdt dat op. Maar samen met Stan kon ze nieuwe vrienden en kennissen maken. Stan weerde dat niet af zoals Ted. Hij ging de uitnodiging van Joke accepteren, daarvan was ze zeker. Het contact met Helmut en Frederike kon tot iets leiden en ze kon Stan vragen of hij haar eens meenam naar…

Alsof Stan dat hoorde, belde hij. Na de lieve woordjes vertelden ze elkaar over hun dag. Stan hoefde inderdaad geen seconde na te denken over de uitnodiging van Joke.

'Graag, graag en graag! Al is het tot en met nieuwjaarsdag. Ik wil trouwens toch vanwege onze woonomstandigheden regelmatig samen iets leuks gaan doen. Naar de film, een concert of toneelstuk. Een tripje naar het een of ander.'

'En dat is niet naar Londen, Barcelona of Parijs,' plaagde Babs, 'maar naar een waddeneiland. Of wandelen in een lekker stil natuurgebied…'

Er klonk een lach. 'Juist. Ach, 's winters ook wel eens naar een leuke stad, bij voorkeur een stad met een beter klimaat dan hier.'

'Dan gaan we toch even naar Nice? Heerlijk!'

'Voor nu wilde ik vragen of je meegaat naar mijn huis. Ik ben niet zover bij je uit de buurt en kan je even oppikken.'

'Graag, graag en graag.'

'Over tien minuten.'

'Ik sta buiten.'

Ze trok zelfs eerder de deur achter zich dicht. Net kwam de buurman aan fietsen die bij buurpraatjes altijd haar borsten in plaats van haar ogen aankeek. Ze deed net of ze de deur op het nachtslot draaide en gluurde of hij al weg was, maar hij had lang werk om zijn fiets aan de boom op slot te zetten. Ze liep een stukje bij hem vandaan. Een praatje was tot daar aan toe, haar borsten waren onder haar grijze cape met de perfect werkende blinde sluiting, maar straks reed Stan de straat in en zag die vent haar op dit late uur bij hem instappen!

Eindelijk stond hij bij zijn voordeur. Ze wachtte op het geluid dat die dichtgetrokken werd. De bus passeerde. Twee scooters raceten voorbij. Als ze wist dat Stan van links kwam, stond ze goed. Anders moest ze oversteken.

Had ze het licht wel uitgedaan?

Ze draaide zich om en zag haar voordeur, het bekende huisnummer, het naambord, de brievenbus en de klep ervan waarmee de jongens indertijd rammelend te kennen gaven dat ze naar binnen wilden, en besloot maar niet over die dingen na te denken.

Het huis was donker.

Ze keek weer naar de rijweg. Van rechts naderde een nieuw rijtje auto's en twee gillende meiden op één fiets. Nog een stel koplampen van de andere kant. Daar was hij!

25

'Aan de wandel. Zo heet dat zoals wij nu samen lopen… een echt oud stel,' merkte Babs plagerig op toen ze haar arm door die van Stan stak.

'Ja, afschuwelijk,' antwoordde hij lachend, 'een ommetje op tweede kerstdag, je moet er toch niet aan denken!'

'En dan loop ik ook nog met mijn gat naar achteren,' zei Babs.

Ze keek naar opzij.

Stan keek met een frons in zijn voorhoofd vragend terug.

'Ik loop net zoals mijn moeder, vindt Bastiaan. Met mijn gat naar achteren. Daaraan had ik al kunnen weten dat ik haar bloedeigen dochter ben.'

'Je loopt helemaal niet met je gat naar achteren.'

'En toch ben ik mijn moeders dochter.' Babs lachte. Ze zei maar niet dat ze het zelf ook in etalages had gezien en dat ze zich afvroeg of ze een holle rug had. Dat kwam een andere keer wel.

'Leuk dat Rutger die dennentakken had opgehangen,' zei ze. Ze drukte de arm van Stan. 'Mét mistletoe…'

'En die hele uitleg. Maretak. Vogellijm. Dat je de vrouw die er-onder staat mag kussen. Druïden…' Babs schoot in de lach '… met hun vruchtbaarheidsrituelen. En het moet opwindende dromen te-gengaan…'

'Gelukkig behoedt het in zuidelijk Nederland het vee voor ake-lige ziekten,' voegde Stan er schaterlachend aan toe.

Ze gierden van het lachen. 'Even blijven staan, hoor,' kreeg Babs er nog uit, 'want door de kou moet ik eigenlijk plassen.'

Ze herinnerde zich opeens het stel dat op het parkeerterrein van het hotel in Drenthe zo heerlijk had staan lachen. En nu stond zij precies zo, geluksvogel die ze was!

Omdat er noch achter hen op de dijk, noch voor hen bij de rivier iemand te bekennen viel, omhelsde en zoende ze Stan maar eens ste-vig. Waardoor ze er natuurlijk aan terugdacht hoe ze zich beheerst had bij hun eerste ontmoeting in Nice.

Ze wandelden door. Rutger had hun gewezen hoe ze via een nu kaal populierenbos, waarin 's zomers een camping was, een pad konden vinden dat dwars door de uiterwaarden naar een strekdam in de rivier leidde. Daar was een populaire visplaats, en er liep een pad vandaan langs het water dat ze een kilometer of vier stroomopwaarts konden volgen naar een uitspanning met lekkere zelfgebakken appeltaart van appels uit eigen boomgaard. Een prima doel voor een kerstwandeling.

Van de sneeuw van de vorige dag was jammer genoeg niets meer over. Er lag alleen nog een drabbig laagje water. Wat uniek dat er in de kerstnacht een sneeuwbuitje geweest was. Buitje, inderdaad, maar net genoeg om de fruitbomen in de tuin van Rutger een sprookjesachtig aanzicht te geven.

's Morgens zagen ze die staan door de ruitjes van het raam van het gastenverblijf. Pas bij het ontbijt zagen ze dat ook de pony in de boomgaard met een wit dekje op zijn hoofd en rug in een laagje sneeuw graasde. Hij bleef er kennelijk niet voor op stal.

'Terwijl die stal toch bepaald een royale behuizing is,' had Stan vastgesteld, 'ik wed zo'n twintig vierkante meter groter dan mijn studio. En dat voor een pony…'

'En een geit, plus Joke,' wist Babs.

'Plus Joke? Hoe dat zo?'

'In het groengeschilderde gedeelte is haar atelier. Omdat ze daar kan werken, is ze nu veel vaker bij Rutger. Ik denk dat er nog maar een vingerknip voor nodig is en ze trekt bij hem in. De boerderij is er natuurlijk groot genoeg voor. Jij hebt gisteravond alleen nog maar de eetkeuken en de woonkamer gezien. Maar alleen al het deel met de bijkeuken en het magazijn waar we wijn en zoutjes haalden is groter dan de hele begane grond van mijn huis. Op de verdieping zijn wel vier kamers die volgens mij tweemaal zo ruim zijn als jouw hele studio! In eentje op het noorden heeft Rutger zijn atelier. Het zou mij trouwens veel te groot zijn…'

Stan was van tafel opgestaan om de raamconstructie en die van verticale en horizontale balken in hun kamer te bekijken. Babs had vergenoegd zitten meekijken.

'Wat een sfeer heeft zo'n authentiek huis, vind je niet?' zei ze. 'Het is een cliché, maar zoveel verhalen als zo'n huis kan vertellen. Het waren rijke boeren die er van generatie op generatie woonden en werkten. Het vee stond toen nog binnenshuis op stal, vertelde Rutger destijds. En karren en wagens, later de tractor. Vandaar ook dat het zo groot is. Logisch dat het zo sfeervol is, vind je niet?'

Zonder een antwoord af te wachten, was ze met haar constatering gekomen dat het verkopen van zo'n huis andere koek was dan het van de hand doen van een huis als het hare. 'Dat is een doodgewoon seriehuis. Dertien in een dozijn. Standaard bouw, goedkoop afgewerkt, zonder details die het charmant of luxe maken. Maar juist daardoor konden we het kopen. Het was een buitenkansje, vooral door dat postzegeltje van een tuin erachter.'

'Rutger wil op de verdieping vier appartementen laten bouwen,' wist Stan te vertellen. 'Veel mensen willen wel graag buiten wonen, maar niet afgelegen en ook zonder een kolossale tuin die ze moeten onderhouden.'

'Ik begrijp de hint,' had Babs geantwoord.

'Het is hier zelfs op zo'n stille en nevelige dag als vandaag erg mooi,' ging Stan verder. 'Het rivierenlandschap trekt dan ook meer en meer mensen uit de stad. De wolkenluchten kunnen hier schitterend zijn. En dan die sfeer van grazend vee, de scheepvaart op de rivier en zo'n veerdienst als verderop. Het is aanlokkelijk om daar deelgenoot van te zijn. Bovendien zijn de verbindingen met de randstad prima, als er tenminste geen files staan. Volgens Rutger hebben steeds meer mensen hier een tweede huis. Net als in Friesland.'

'En een kilometer of dertig ten noordnoordoosten van Nice,' merkte Babs lachend op. 'Moet je voorstellen dat je dan nu in een flauw zonnetje en 15 graden op je bankje voor het huis zou zitten met een kopje espresso.'

'Stond er dan een bankje voor?'

'Welnee, maar dat zou ik er neerzetten om van het uitzicht te kunnen genieten.'

'Klinkt goed, hè?'

'Super!'

Een groepje motoren op de dijk verbrak de rust. Daarna was er slechts af en toe een auto. Het vee moest op stal staan want de uiterwaarden waren groen en leeg. Na een poosje schitterden er lichtspikkels in het grijs van de verte. Het waren de lichtjes in de kolossale kerstboom van de uitspanning.

'Was ik hier nu met Joke?' vroeg Babs zich af. 'We aten een broodje tonijnsalade op een terras. En appeltaart was er ook. Ik ga het haar vragen.'

Ze waren de enige gasten. De drukte werd pas in de middag verwacht, vertelde de serveerster die hun koffie bracht, en inderdaad verkochten ze 's zomers tonijnsalade. De appeltaart smaakte heerlijk. Er kwam een vriendelijk groetend ouder echtpaar binnen. Hun belangstellende blikken maakten overduidelijk dat ze om een praatje verlegen zaten. Ze woonden in het stadje aan de overkant, maar gingen verhuizen naar een serviceflat. Tot meer dan dat lieten Stan en Babs het niet komen. Ze stapten weer op en sloegen het pad van daarnet weer in.

'Die vrouw had een erg holle rug,' zei Babs.

'En die man was kaal,' zei Stan.

'Ja, echt kaal,' beaamde Babs.

'Vreselijk, wat liep díe vrouw met haar gat naar achteren,' zei Stan. 'Echt afschuwelijk!' Hij sloeg toen hij dat zei zijn arm om haar heen en drukte haar schouder. 'Vat je hem?'

'Ja,' zei ze. 'Als je tenminste bedoelt dat hij echt geen haar meer op zijn hoofd had, en dat die vrouw echt idioot opvallend met haar gat naar achteren liep.'

Omdat er wandelaars van de andere kant kwamen, moesten ze even achter elkaar lopen.

'De eersten van vandaag,' stelden ze vast. En ook dat het lichter was dan daarnet, alsof de zon vlak achter de grijze hemel een voorzichtig spel ging spelen van licht en schaduw dat aan het landschap nuances en zelfs wat kleur gaf. Het stadje aan de overkant, waar die mensen van daarnet woonden, was nu met zijn toren en vestingwal te zien. Het lag erbij als op een schilderij uit de zeventiende eeuw.

Als je tenminste alleen naar het stadje keek en niet naar wat er links en rechts van gebouwd was.

Ze bleven even staan kijken. In een glimpje licht maakte een gele pont zich van die kant los. Er stonden een blauwe en een rode auto op. Onder hun ogen vervaagden de kleuren weer en als een silhouet koerste de pont met zijn last op hun oever af.

'Wat mooi om naar te kijken,' zei Babs.

'Dat bedoel ik met dat er buiten altijd van alles te zien is,' zei Stan. 'Alleen al door de intensiteit van het licht is het nooit gelijk.'

Babs keek door haar wimpers naar de rivier. 'Van Joke geleerd,' zei ze toen ze merkte dat Stan het zag. 'En ook dit…' Ze maakte van haar hand een kokertje en keek erdoor, eerst over de uiterwaarden en toen naar hem.

'En doe dit eens…' Hij legde zijn handen achter zijn oorschelpen. 'Moet je horen wat je dan hoort.'

Ze deed het. 'Het ruisen van de zee.' Ze lachte. 'Nee… een scheepsmotor… een carillon… klotsen.'

'Auto's. Een koe. Meeuwen,' zei hij. 'En fietsbellen.'

'Joke en Rutger!'

Ze zwaaiden uitbundig naar elkaar. Slingerend zetten de fietsers weer vaart.

'Twee oude stellen,' zei Babs. 'Vreselijk, hè?'

Afschuwelijk, vond Stan. Ze omhelsden elkaar. Ze namen de tijd, er was tenslotte noch op de dijk, noch in de uiterwaarden iemand te bekennen.

Babs lag op bed in een reclamekrant te bladeren. Naast haar las Stan een stapeltje afgedrukte mails door. Ze waren van Hero, Hester en wat vrienden. De tijd ervoor had hem thuis ontbroken.

'Deze is leuk,' zei hij. 'Van die vriend in Zwitserland. Hij heeft een leuke pen. Heeft altijd wel grappige of bijzondere gebeurtenissen te vertellen over het leven van een man alleen uit het verre, vlakke Nederland tussen de hoge pieken van de Alpen.'

Hij las grinnikend een stukje voor.

'Eindelijk lekker slapen!' riep Babs eventjes daarna.

'Wat krijgen we nou?'

Ze tikte met haar wijsvinger op de krantenpagina. 'Veertig procent van de Nederlanders slaapt te kort,' las ze voor. 'Maar dat is voorbij als we allemaal… hoe heet dat spul… slikken.'

'O, een advertentie.'

Hij las verder en Babs sloeg de krant weer op.

'Mannen gaan te laat naar de dokter,' zei ze. 'Eén miljoen mannen heeft plasklachten. Slechts een kwart consulteert daarmee de dokter.'

Ze liet de krant vallen en keek hem aan. 'Heb je ook plasklachten en ga jij daarmee ook te laat naar de dokter?'

'Ja,' zei hij terwijl hij verder las. 'Wat staat er verder over?'

'Geen idee. Ik kan alleen de grotere letters lezen zonder leesbril… Maar jij hébt toch helemaal geen plasklachten en… wat staat hier… erectieproblemen? Anders moet je contact opnemen met een kliniek die…'

Zijn mond snoerde de hare. 'Ga jij zelf eigenlijk wel bijtijds naar de dokter?' vroeg hij tussen hun zoenen door.

'Afkloppen. Ik mankeer gelukkig niets,' zei ze. 'Maar ik zal Arthur, Bastiaan en Casper op hun hart drukken dat ze bijtijds naar de dokter gaan als ze plasklachten krijgen.'

Samen gierden ze het opeens uit van het lachen.

'En toch wil ik nu eerst deze mails lezen,' zei Stan na een poosje.

Babs vouwde de krantenpagina kleiner op, zo was hij gemakkelijker te hanteren. 'Het geheim achter grote borsten berust op de combinatie van zeealgen en microdeeltjes van specifieke kruiden uit Oostenrijkse bergweiden. Wilt ook u eindelijk stevige borsten? Knip dan de bon uit…'

Ze voelde dat Stan zijn lachen inhield, maar hij las stug door.

'Daar droom ik nu al jaren van,' giechelde ze. 'Eindelijk stevige borsten. En dan ook maar meteen minder dikke billen. Want ik heb volgens mij geen holle rug. Moet lukken met zeealgen en bergkruiden. Of nee… ja, het staat hier… een vastenkuur in een beautyfarm om weer fris en jeugdig…'

Stan gooide de prints neer. 'Afschuwelijk, vrouwen die maar

over hun uiterlijk jammeren…' Hij trok haar naar zich toe.

'Eerst die leesbril af!' riep Babs. 'Anders zie je mijn … hoe heet-te het ook al weer…' ze trok de krant naar zich toe '…droogtelijn-tjes en kraaienpootjes, die met deze natuurlijke collageentabletten, die direct na het ontwaken moeten worden ingenomen met mine-raalwater…'

Verder kwam ze niet. Wat wil je ook als geliefde van een man die niet naar de dokter hoefde met plasklachten.

26

Veel te snel was het laat op de middag van nieuwjaarsdag. Ze reden terug naar Amsterdam. Op de weg was het contrast met de rust van de voorbije dagen groot. Wat een massa auto's. Een zee van koplampen en achterlichten. De grauwe middag leek er schemerig door. Ter hoogte van de afslag naar een stadion raakten ze vast in een file. Natuurlijk altijd vervelend, maar zo samen in de comfortabele auto van Stan viel dat best mee.

'Tja, waar heb je in Nederland nu niet dat het verkeer vastloopt,' zei Stan.

'In Drenthe viel het wel mee,' vond Babs. 'Maar rond Nice was het ook vaak raak. Ben je eenmaal bij de stad vandaan, dan is er genoeg ruimte. Daar is het dunbevolkt, hoor.'

'Jou te stil, hè?'

'Wel bij de wijnboerderij. Maar niet op dat vakantiepark waar ik rondkeek voor die vriend van je. Daar heb je buren, ook al zitten ze niet op je lip.'

Weer stonden ze na een paar honderd meter sukkelen stil. Weer ging het vervolgens een stukje in een slakkengangetje verder.

'Het uitzicht vanuit dat vakantiehuisje is prachtig,' mijmerde Babs. 'Zelfs in november. De akkers tegen de helling aan de overkant waren kaal. Ik denk dat het lavendelvelden waren. Lavendel is trouwens rustgevend en ontspannend, wist je dat? En verder is het een soort Haarlemmerolie. En hoe ik dat weet? Ik las in Nice een paar gebruiksaanwijzingen en bijsluiters. En omdat ik natuurlijk lavendelshampoo, lavendelolie en lavendelthee kocht... daar kom je in Nice echt niet onder uit. Er vlogen daar trouwens kauwtjes. Die herken ik nu uit duizenden. Hé, dat huisje heette *La vie en lavande*! Dat is zoiets als "het goede leven in lavendel". Volgens mij om de rust en...'

Ze stopte even abrupt als Stan op de rem trapte. Gelukkig deed hun achterligger dat ook. Met een grotere afstand tot hun voorligger sukkelden ze weer verder.

'Er mogen uitstekende verbindingen zijn met de randstad,' zei Stan, 'maar elk weekend in dit soort drukte naar je vakantiehuisje naar Friesland rijden, of naar de grote rivieren…'

'Dan kun je maar beter af en toe een lang weekend naar Nice vliegen,' vond Babs. 'Dan heb je tenminste ook lekker weer.'

'Als je tenminste vlak bij Schiphol woont,' merkte Stan op.

'Ik ben benieuwd of er mail voor me is van dat bemiddelings-kantoor voor woonruimte,' zei Babs na een poosje. 'Ik ga trouwens maandag aan de bel trekken bij de makelaar.'

'Want…?'

'Ik wil geen dag langer dan nodig zo ongemakkelijk wonen.'

Stan zweeg. Babs keek zijn kant op. Hij keek geconcentreerd in de rechter zijspiegel, zette opeens de richtingaanwijzer naar rechts uit en stuurde van de linker naar de rechterrijbaan. Het ging helaas ook daar stapvoets. Babs zei daar natuurlijk niets van. Ze pakte de draad weer op. 'Het staat me tegen dat Ted ook in huis rondloopt. Gelukkig is hij het er wel over eens dat het nu maar snel moet wor-den afgewikkeld.'

En wie weet heeft hij mijn briefje met voorstel over de verde-ling eindelijk gelezen, dacht ze. Opeens zette Stan weer de richting-aanwijzer naar rechts. Achter een sliertje auto's aan namen ze een afslag. 'Kom je zo op een alternatieve weg naar Amsterdam?' vroeg Babs.

'Nee, bij een tankstation met een grote parkeerplaats.'

'Aha, moeten we tanken?' Ze gluurde naar links, naar het dash-board, maar kon niet wijs worden uit de vele metertjes. We rijden de pomp voorbij, wilde ze al waarschuwen. Ze passeerden een groepje geparkeerde personenauto's. Stan zou toch niet stiekem een stuk file willen passeren via dit tankstation? Dat zou dan een onbekende kant van hem zijn.

Weer zei ze niets. Ze keek alleen wel verwonderd zijn kant op toen hij de auto met de achterkant naar een vuilcontainer en de neus naar de snelweg parkeerde. Daar kropen drie onafzienbare rijen au-to's voort.

'Tijd voor koffie?' vroeg ze.

'Nee hoor,' zei hij. 'Maar ik wil je vragen of je met mij samen wilt gaan wonen. Dat had ik natuurlijk beter aan de rivier kunnen doen, dan hier… Want het is eigenlijk een soort aanzoek.'

Ze lachte. 'Leuk!'

'Maar het had romantischer gekund,' stelde hij vast met een hoofdbeweging naar het verkeer.

Babs legde lachend haar hoofd tegen zijn schouder. 'Dus nu heb je me gevraagd,' zei ze.

'En jouw antwoord was "leuk".' Hij nam haar gezicht tussen zijn handen. 'Betekent dat ja?'

'Natuurlijk! Je weet toch dat ik indertijd al zo ontzettend verliefd op je was?'

'Nee. Wel dat je dat een heel klein beetje was...'

'Je had een andere leuke vrouw tegen het lijf kunnen lopen…'

'En jij had mijn nummer echt kwijt kunnen zijn…'

'Hoe zou het zijn gegaan als jij niet óók in Nice moest zijn…'

'Want het was heel speciaal om je terug te zien bij *Mon Manon*. Als je wilt kunnen we daar wel vaker *bouillabaisse* eten.'

'Prima,' antwoordde Babs opgewekt. 'Met het vliegtuig ben je er zo.'

'Wacht even…'

Hij stapte uit, pakte zijn werkkoffer van de achterbank en kwam met een papier in zijn hand weer zitten. 'Een mail van mijn vriend in de Jordaan. Zijn vrouw wil toch hun vakantiehuisje in Friesland aanhouden. Ik zou nu dat ding in Frankrijk wel willen kopen.'

Babs keek hem met grote ogen aan. 'Dat ding? Je bedoelt dat huisje? *La vie en lavande*?'

'Precies. Rust. Ruimte. Natuur. En ook dicht bij een fantastisch leuke stad. Met een vliegveld.'

Hij keek haar aan. 'Wat vind je ervan?'

'Wat ik daarvan vind? Ik vind het grandioos.' Ze zocht tevergeefs naar superlatieven, en legde toen maar haar handen om zijn gezicht om hem te zoenen.

Na een halfuur wachten gaf het verkeer geen enkel probleem meer. In no time stapte Babs bij haar huis uit en zwaaide ze Stan na. Het huis was donker, maar wat haar betreft had Ted hun afscheid mogen zien, net als die buurman. Ze kwam toch alleen om mail en post te checken, haar tas te legen en schone spulletjes te pakken om bij Stan te kunnen overnachten. Intussen stalde hij de auto.

Ted was er inderdaad niet. Er was mail van de makelaar, of er een afspraak gemaakt kon worden voor een bezichtiging, en van het bemiddelingskantoor voor woonruimte, met een folder in de bijlage. De post bestond uit kerst- en nieuwjaarswensen en de vuile was ging in de wasmand bij de wasmachine. Toen ze op de fiets stapte, stak ze haar hand op naar de buurman die naar buiten stond te kijken.

Ze arriveerde gelijk met Stan bij zijn huis. Ze brachten hun spullen binnen. Voor wat boodschappen wandelden ze daarna naar de avondwinkel. Het was lang zo koud niet als voor de kerstvakantie, misschien ook doordat het windstil was.

Overal brandde nog kerstverlichting. Het water van de Amstel was er door de weerspiegeling mee bezaaid. Aan de overkant reed in volle vaart een ambulance met blauw zwaailicht. De sirene hoorden ze amper door een auto die aan hun kant langs raasde met de geluidsboxen wijder dan wijd opengedraaid. Met een kreet vloog een reiger vlak langs hen heen. Hij landde op het achterdek van de woonboot.

Ze stonden een poosje met de armen om elkaar heen naar het avondlijke schouwspel te kijken. Babs dacht eraan terug dat ze daar aan de overkant fietste, toen, vanuit het Centraal Station en de brasserie bij de rondvaartboten, met een verdrietig gevoel, met zwaar op haar maag het gedoe met haar moeder en Ted, zonder de afleiding van werk en zonder haar rugzak.

Ze glimlachte en legde even haar hoofd tegen Stans schouder. 'We moeten natuurlijk voor de koopformaliteiten naar Nice,' zei ze.

'Erg hè?' zei Stan.

Ze lachten.

'Maar vanwege de bescheiden vraagprijs moeten we wel snel reageren,' zei hij. 'Als het voorjaar wordt, is het zó weg. Een gemiste kans.'

Babs glimlachte. 'Je bedoelt, het is nu of nooit?'

'Zoiets ja.'

Ze wandelden weer verder. Bij de avondwinkel was het dit keer niet druk. Stan ging naar binnen, Babs wachtte voor de deur. Er voer een rondvaartboot met kaarsverlichting voorbij. Romantisch, dacht ze, en ze grinnikte om het verschrikkelijke parkeerterrein met zicht op de file. Ze draaide zich om toen ze de automatische deur van de winkel hoorde openschuiven, maar het was Stan nog niet. Kennelijk werd hij aan de praat gehouden door de eigenaar.

Ze drentelde langs de waterkant en weer terug. Binnen in de winkel zag ze Stan bij de kassa zijn aankopen in een papieren zak stoppen. Inderdaad sprak de eigenaar met drukke gebaren en een gulle lach tegen hem.

Nu tilde Stan de zak op. Hij groette met een lach en draaide zich om naar de deuren. Die haperden even. Een paar tellen stond hij daar in het volle lamplicht.

'Babs Vierhoef van de receptie,' hoorde ze zichzelf zeggen.

'Stan de Houtman. Freelancer op het gebied van...'

'Aan wie kan ik je voorstellen? Want ik neem aan dat je hier bent om...'

'Laten wij doorpraten...'

Hij liep op haar toe. Haar hart maakte een sprongetje.

'Het duurde even, ' zei hij.

'Maar,' zei Babs, 'het was het wachten waard.'